超ファシリテーション力

テレビ朝日アナウンサー
ABEMA Prime進行
平石直之

アスコム

ファシリテーション
とは？

グループ活動を円滑に
促進すること。
ビジネスシーンでは、
「仕切る力」「統率力」を
示すことが多い。

〝平石流ファシリテーションの極意〟は、

「準備力」

「聞く力」

「場を作る力」です。

極意 その1

「準備力」

ファシリテーションは準備が9割

まずは**何よりも「準備」**です。参加者は何人で、どんな顔ぶれなのか。目的、時間、会場などを確認し、必要な情報を一つひとつ集めて、整理していく作業を始めます。

私がファシリテーターを担っている番組では、出演者の本や記事を読み、ユーチューブやSNSをチェックして、最近の活動やおもな主張、人となりや話し方の特徴などをつかんでいきます。商談などの場合には、取引先のホームページやSNS、記事などで最近の動向をチェックしておくといいでしょう。社内会議などの場合には、参加者が最近どんな役割を担っているかや仕事の成果などをチェックしておきます。

次に、その人にとって「これだけは言いたい」というコアな主張をしっかりと話していただき、一方で、ファシリテーターとして「これだけは聞きたい」ことをきちんと聞くという、〝芯を外さない進行〟を頭のなかでイメージしていきます。そのうえで、参加者の本音をどう引き出し、ほかの参加者とのあいだでどのように議論を盛り上げていくかを事前にシミュレートしておくことが大切です。

極意 その❷

「聞く力」

「聞く力」こそがファシリテーションのかなめ

実際に会議が始まったあとは、準備してきたことをいったんすべて脇に置いて、目の前の議論に全エネルギーを集中させます。テーマと狙いを説明したのち、参加者の言葉に全力で耳を傾け、その主張や空気を受け止めながら議論を展開させていきます。ファシリテーターは受け身のポジションを取りながら、参加者の言葉を拾って補足し、軌道修正し、前述の〝芯を外さない進行〟を実現させていきます。

ここでは、自分が何を言いたいかではなく、いかに参加者の言葉を受け止めるかが重要で、その意味では「聞く力」こそがファシリテーションのかなめだと感じます。

番組ではアナウンサーである私がファシリテーターを担っているので、「話す力」で場をもたせていると思われがちですが、実際は、「討論の猛獣たち」の投げる（発する）はみ出しそうなボール（言葉）を、飛びついてでもキャッチすることにほぼ全神経を集中させています。

その意味でも、**「聞く力」のほうが圧倒的に大切**だと実感しています。

極意 その❸

「場を作る力」

いいムードを作ることが議論とチームを活性化させる

会議をイキイキとしたものにし、議論を活性化させるために、ファシリテーターに欠かせないことが「ムード作り」です。

参加者たちが緊張や警戒をしながら話すのか、ホンネで話してくれるのかでは、議論の深みや成果に大きな違いが出ます。その意味では、場をコントロールするファシリテーターが担う役割は極めて重要です。

番組では、初出演で緊張するゲスト、つらい話をしなければいけないゲスト、人前で話すのが苦手なゲストなど、アウェイの雰囲気を感じながら出演されるケースも多々ありますが、そんな場面こそがファシリテーターの腕の見せどころです。

アイスブレイクの会話で緊張を解きほぐし、ときに自分自身の身を削り、ゲストの背中を優しく押してあげながら、**あの手この手で自由にホンネを話せるムードを作っていきます。**そこにほかの参加者たちを巻き込んでいくことで一体感が生まれ、プロジェクトに対する期待感が膨らみ、組織においてはチームの活性化につながっていくことでしょう。

「準備力」で〝芯を外さない進行〟の
イメージを固め、
「聞く力」で軌道修正しながら
議論を深め、
「場を作る力」で会議の成果を出し、
チームを活性化させる。

これが
〝平石流ファシリテーション〟です。

さあ、続きましては
私の自己紹介も兼ねた
「はじめに」です！

はじめに

みなさま、あらためまして。

こんにちは。『ABEMA Prime』（通称アベプラ）の進行を担当している、テレビ朝日アナウンサー、平石直之《ひらいしなおゆき》です。

「さあ、始まりました。アベプラ月曜日です！」

午後9時。番組が始まります。毎日2時間の生放送。番組を進行し、議論をファシリテートしていくのが、私の役目です。

分厚い台本はありますが、そのとおりに番組が進んでいくことのほうがまれで、議論が脱線したり、リモート出演のゲストが突然つながらなくなったり、出演者同士でケンカが始まったりと、予想外の展開が次々に巻き起こります。

その都度、それらを乗り越え、ときに自分自身も傷つきながら体得していったノウハウをまとめたのがこの本です。

いまでこそ、日々の番組での仕事ぶりを見ている方々から「猛獣使い」などと言っていただけるようになりましたが、**もともと私は自分から場を仕切っていくタイプの人間ではありません。**

会議やミーティングなどでも、以前はどちらかといえば受け身なほうで、積極的に質問したり、意見したりすることもなく、突然、意見を求められ、絞り出した答えに納得がいかず、恥ずかしい思いや情けない思いをしたこともありました。

とくに、アナウンサーとしてテレビ朝日に入社してからは、会議に参加したり、記者会見を取材する機会も多く、司会者がダラダラと話すのを聞かされて退屈な思いをしたり、一部の人たちだけで盛り上がっているのを見て疎外感《そがいかん》を感じることもありました。また、結論が出ないどころか罵《のの》り合いになって、後味の悪い終わり方をする場面を何度も経験してきました。

仕切りの悪さが組織やチームにもたらす悪影響を、さまざまな場面で目の当たりにしてきたのです。

そうした経験から、**「円滑なコミュニケーションを促す人＝ファシリテーター」**の存在がいかに重要であるかに気づいていきました。

私がたどり着いたファシリテーションのノウハウは、議論を有意義なものにするだけではなく、会議やミーティングの枠を超えて、メンバー間のコミュニケーションを深めるのに役立ったり、やる気を引き出したり、チームの一体感を醸成《じょうせい》できることもわかってきました。

円滑なコミュニケーションを実現する「ファシリテーションの力＝**ファシリ力《りょく》**」のパワーは、私自身が日々の仕事のなかで実感しています。相槌《あいづち》の打ち方や間の取り方ひとつで、おどおどしていたゲストがイキイキと自分の言葉で語りだしたり、様子をうかがっていた参加者たちが「私にも意見を言わせてください」とばかりに身を乗り出してきたり。ときには意見が対立していた2人がコーナー終了後に握手していたり、といった劇的な変化をもたらします。

ちょっとした工夫が、眠くなる会議やつまらない会議をワクワクするものに変化さ

せ、組織やチームを活性化させてくれるのです。

ファシリテーションのスキルは、ひとりしゃべりから1対1のインタビュー、大小のグループトークの進行・回しまで多岐にわたります。会社などの会議やミーティングはもちろんのこと、家族間の会話やマンションの管理組合、学校のＰＴＡなどの会合、商品の販促会、はたまたスポーツチームの結束を固めたり、政治家が有権者の心をつかんだりと、たいへん汎用性《はんようせい》の高いものです。

そして、あなた自身がファシリテーターではない場合も、ファシリテーターの存在の重要性に気づき、誰にその役割を担ってもらうかを考えるようになれば、それだけでもチーム作りの方向性が固まってくるはずです。

コロナ禍でのソーシャルディスタンスでコミュニケーションが取りにくくなり、社会の分断があちこちに生じているいまこそ、**あらゆる組織や分野に、ファシリテーターの存在が求められている**と感じています。

生まれつきのファシリテーターではない私が身につけていったノウハウであるからこそ、この本を手にしてくださっているみなさまにも、その一つひとつを試してみることで、「ファシリ力」を実感していただけるはずです。

それでは、私が身につけてきたファシリテーションスキルをたっぷりと解説した『超ファシリテーション力』、スタートです！

超ファシリテーション力　目次

第1章 ファシリテーターの心得

第2章 話し合いを円滑に進めるコツ

第3章 ファシリテーションは準備が9割

第4章 即使える！ キラーフレーズ集

＊本書籍の情報は、２０２１年10月14日現在のものです。

第 1 章

ファシリテーターの心得

ここではまず、会議やミーティング、
イベントの司会などを成功させるための
大切な心構えについて、
よくある疑問に
お答えするかたちでご紹介します。

Q

そもそもファシリテーターとは?

A

ファシリテーターの立ち位置は、ひとつにあらず。顔ぶれによって柔軟にアレンジを。

ファシリテーターとは
サッカーのボランチのようなもの

活発な議論を促したり、対立する意見を調整したり、会議をスムーズに進行させることがファシリテーターの役割ですが、じつはその立ち回り方にはいくつものバリエーションがあります。じつをいうと私も、アベプラ出演の際には、その日の出演者の顔ぶれやテーマによって、微妙に立ち位置を変えるように心がけています。

たとえば声が大きく口数の多い論客がそろっている日には、純粋に進行に徹します。難しいテーマに対し、複数の識者が登場する日なら、私も質問者の1人になることで、内容を噛《か》み砕いて視聴者に伝えられるよう配慮します。

初登場の方や、どちらかといえばおとなしめの出演者が多い日であれば、私自身も積極的に意見を述べて、議論を活性化させることもあります。

つまり、状況によってファシリテーターが担う役割は変化します。立場を柔軟に変えることで、議論はより効率的に、そして機能的なものになるはずで、単なる司会者との違いはまさにこの点にあると私は考えています。

これは会議においても同様でしょう。**出席者の顔ぶれや議題により、ファシリテーターに求められる動きは変わります。**

さまざまな意見を出し合う活発な議論が求められているのか。それとも時間内にアジェンダをクリアすることを優先すべきなのか。あるいは、重いテーマについての話し合いを、できるだけ穏便にこなす必要があるのか。

その**会議の本質を見極め、それに自分自身をアジャストさせることができれば、ファシリテーションのレベルは大きく上がります。**

サッカーに例えるならば、ファシリテーターとは、ボランチのポジションによく似ています。

ゲーム（会議）が始まる時点では、守備寄りのミッドフィルダーとしてゲームメイクに専念し、チームメイト（参加者）がそれぞれの持ち味を活かして活躍できるよう、采配を振ります。

しかし、その日のスタメンによってはいつもより攻撃的な動きが求められることもあるでしょうし、守備に専念すべきときもあるでしょう。

何より、展開が激しく入れ替わるようなら、ボランチはその都度ベストな立ち位置を模索することになります。これはまさしくファシリテーターの役割そのものと言えます。

実際、アベプラでもテーマによって私の視点は大きく異なります。

たとえばビジネスパーソンの悲哀を語るときには会社員の立場から意見を述べますし、コロナ報道について語るときには、メディア側の人間として意見を述べるようにしています。

このように、ファシリテーターがフレキシブルに立ち回れるようになれば、会議のクオリティーは間違いなく向上するでしょう。

Q

面識のない人ばかりの会議で、
堅い空気を和ませるには？

A

ファシリテーターは
とにかく
初めての参加者に
寄り添う姿勢を。

緊張は議論の大敵
味方がいることをアピールしましょう

会議の雰囲気は、その日のテーマやメンバーに左右されるものです。
たとえば会社の存続を揺るがす重大なトラブルが発生し、その善後策を協議する場であれば、緊迫感のあるものにならざるをえません。

メンバーについても、いつもより偉い人が多く出席する会議であれば、どうしても厳かで緊張感の漂う会議になりますし、初対面の人ばかりであれば、やはりどこか張り詰めた空気感を伴うものになるでしょう。

会議のテーマやメンバーは、ファシリテーターの一存で入れ替えられるものではなく、与えられた条件で場を仕切るほかありません。

ただし、初対面の人ばかりであっても、**ファシリテーターの立ち回り方次第で、場の雰囲気を柔らかくし、誰もが意見を言いやすい空気を作ることができます。**

アベプラでは毎回、テーマに合わせてゲストをお招きしています。

感染症対策について語るなら公衆衛生学の専門家を。

経済情勢について語るなら経済学者を。

スポーツについて語るならアスリートを。

当事者や識者の方にご登場いただくことで番組に説得力が生まれ、事実に基づいた有意義な議論ができるようになるので、アベプラの屋台骨を支える大切な功労者です。


とはいえ、何度も出演いただいているゲストでないかぎり、その人にとっては場所もメンバーも初めて尽くしになり、萎縮してしまって、充分に意見を言えずに終わってしまうこともあります。

せっかく来ていただいたのに、これはご本人にとっても番組にとっても、もったいないことです。

そこでファシリテーターである私が日頃から意識しているのは、初登場のゲストに対し、**「私はあなたの味方ですよ」「何かあってもサポートしますから安心してしゃべってくださいね」と暗黙の意思表示をすること**です。

たとえばゲストが発言するたびに、いつも以上に深く相槌を打ったり、「そうですか」「なるほど」「勉強になります」と合いの手を入れたり、少々オーバーなくらいリアクションを取るのが効果的です。

大切なのはその人に思いを寄せ、徹底して寄り添うこと。その思いは相槌だけではなくリアクションや表情など、あらゆるノンバーバルコミュニケーションを通して伝えられるはずです。

初対面であれば、信頼関係がないのが当たり前。だからこそ、ファシリテーターは、積極的に信頼関係を築いていこうという姿勢を見せていかなくてはなりません。初参加や初対面の人の意見や持ち味をしっかりと引き出せるかどうかは、ファシリテーターの姿勢やスタンスにかかっていると言っても過言ではないでしょう。

Q

人に話を振るとき、質問がうまく思いつかない……。

A

質問はときに発言を妨げます。「どうぞ」のひと言だけで充分な場面も。

人に話を振るときは、アイコンタクトをうまく使って

議論の内容を深めるために、ファシリテーターが発言者に対して質問をする形で口を挟むことは、よくあるパターンの1つです。

うまく質問ができれば、議論の流れが見えやすくなり、会議も円滑に進むでしょう。その意味で**質問力は、ファシリテーターにとって重要な要素**です。

しかし、その場にふさわしい質問が思いつかないからといって、悩む必要はありません。なぜなら、質問にも一長一短があるからです。

たとえば、人が饒舌《じょうぜつ》に何かを語っている途中で、「それは○○ということですか？」と口を挟んだことで、結果的に「あれ、結局何を言いたかったんだっけ……」と、その人がもとの話に戻れなくなってしまうのはよくあることです。

人は質問されれば当然それに答えようと頭を働かせることになり、それによって言

いたかったことが妨げられるようでは本末転倒でしょう。

明確に言いたいことがありそうな人に対しては、質問形式で口を挟むのではなく、「○○さん、どうぞ」とか、「では○○さん」と名前を呼ぶだけでも、堰《せき》を切ったように話しだすはずです。

むしろそのほうが場の流れを損なわず、議論にテンポ感を出すこともできます。

ちなみに、言いたいことがあってウズウズしている人は、姿勢や表情でわかるものです。

私の経験から言えば、発言の機会を強く求めている人は、ファシリテーターと積極的に目を合わせてきたり、身を乗り出したりと、態度に表れます。

ファシリテーターはそうした〝話したい人〟を見逃さないよう、参加者全員の表情や姿勢に、つねに目を光らせておく必要があります。

あるいは、「いまこの人に意見を言わせると、ややこしいことになりそうだ」と思っているときは、あえてその人とは目を合わせないようにすることで、「ここは少し待ってください」という合図にもなり、場をコントロールすることもできます。

逆に、ファシリテーターが次に意見を聞きたいと思って、目を合わせようとしても、あえてそれを避ける人もいます。これは「この話では私に意見を求めないで」というサインです。この場合は、そこではその人にはあえて話を振らないという選択も必要です。

とくに、**繊細なテーマでは、こうした参加者たちのサインを見逃さず、きちんと配慮することがとても重要**です。

ファシリテーターが参加者たちの思いを読み取ったり、的確に合図を送ったりするには、アイコンタクトが欠かせないことも覚えておきたいところです。

Q

なかなか意見が出ず、会議が盛り上がらないときは？

A

グループトークは〝大なわとび〟のようなもの。みんなが輪に入りやすい空気を大切に。

縄を回すスピードを落として外にいる人の背中をそっと押してあげる

会議は、大なわとびによく似ています。

両端に縄を持って回す人がいて、その中に、次々にいろんな人たちが入ってくる。いわばファシリテーターは縄の回し手であり、参加者のみなさんは跳ぶ人です。

子どものころを思い返していただきたいのですが、この大なわとびは、参加者それぞれの個性が表れやすいものです。

いちばんにさっと飛び込んできて、そのままずっと中で跳び続ける人もいれば、なかなかタイミングを読むことができず、まごまごしてしまう人もいます。あるいは、積極果敢に飛び込んではくるものの、すぐに縄を足に引っかけてしまい、流れを断ち切ってしまう人もいるでしょう。

では、ファシリテーターである回し手は、そこでどのようなことに気をつけるべきでしょうか？

大なわとびの理想は、参加者たちが輪の中に入ったり出たりしながら、心地よく長く跳び続けられること。

もし、なかなか中に入れず戸惑っている人がいたら、「少しゆっくり回しますね」と声をかけ、背中をそっと押して入りやすくしてあげる配慮が必要でしょう。

会議にもこれと同じ構図があります。一部の積極的な人にばかり発言の機会が偏《かたよ》りすぎたり、最後までほとんど意見を言えずに終わる参加者がいるような状況は、できるだけ避けたいものです。

そこでファシリテーターは、メンバー全員の様子にさりげなく目を配りながら、要所要所で縄を持つ手を緩めてあげる工夫をしましょう。

「ところで、この件について○○さんはどう思っていますか？」
「そろそろ○○さんや△△さんのご意見もうかがってみたいですね」
「これは重要なテーマですから、ほかのみなさんのご意見も聞いてみましょうか」

一部のメンバーだけがヒートアップしていると、どうしてもほかの参加者は議論に入りにくいもの。そこで流れをいったん緩やかにして、輪の中に新しいメンバーを招き入れてあげるのです。

これは**意見と意見が真っ向からぶつかり合い、議論の着地点が見えにくくなってしまったときにも有効な方法**です。それまで会話にあまり参加していなかったメンバーを議論に呼び込むことで新しい視点が加わり、ムキになりつつあった人も、いったん冷静になる時間が作れます。

もちろん、一部のメンバーが議論を牽引《けんいん》するのは決して悪いことではなく、バランスの問題ですが、参加者全員にきちんと出番が回ることを、ファシリテーターはつねに意識しておきたいところです。

目の前で活発な議論が展開されているときこそ、子どものころに楽しんだ大なわとびを思い出しながら、全体を俯瞰《ふかん》してみてください。

Q

相手にとって話しやすい雰囲気を作るポイントは?

A

反復、要約、同調。
〝伝わっている〟ことを
伝えましょう。

いかにして相手に手応えを感じさせるか

相手にとって話しやすい雰囲気を作ることは、その日のメンバーやテーマなど、状況によっても左右されますし、そもそも相手のコンディションが影響することもあります。だからこそ、ファシリテーターは、参加者にとってベストな環境を整え、気分をノセていくことが求められます。

そのために有効な手法が、**「反復」と「要約」と「同調」**です。

まず「反復」とは文字どおり、相手の言葉を繰り返すこと。「いま○○さんがおっしゃった××というご意見ですが」と、相手の言葉をそのままファシリテーターが繰り返し述べることで、それが重要なポイントであることを伝えます。

次に「要約」。これも発言の重要度を強調する手法で、「○○さんはおもに○○とおっしゃっていますが、みなさんはいかがですか」と、端的にまとめて再確認します。発言者の趣旨を、ファシリテーターがわかりやすく噛み砕いて伝えるわけです。

そして「同調」は、発言に対する同意を表すこと。「おっしゃる通りですよね」「○○というご意見は重要なご指摘だと思います」とレスポンスすることで、相手は援軍を得た気分になり、いっそう口もなめらかになります。

とくに「おっしゃる通りですよね」は、発言そのものを全面的に肯定するひと言で、言われた発言者にとっては、たいへんうれしい言葉になります。ファシリテーターがうまくタイミングを見計らって発していくことで、**議論に「正のパワー」がみなぎる魔法の言葉**です。

会議でも番組でも、発言者にとってもっともつらいのは、発言を聞いてもらえなかったり、正しく理解してもらえなかったりすることです。

その意味では、**ファシリテーターの役割とは、いわば拡声器や翻訳機のようなもの。**意見を正しく理解し、必要があれば要点をまとめて整理し、再発声する。それにより、発言者には手応えを提供し、それを聞くほかの参加者には理解を促します。だからこそ、「聞く力」が何より重要なのです。

なお、最初から「反復」「要約」「同調」のすべてを駆使しようと無理をする必要はありません。たとえば正しく「要約」するには聞く力や理解力が必要で、下手に相手の意図に反するまとめ方をしてしまうと、発言者の気分を害したり、かえって進行の妨げになることもあります。あるいは、内容によっては必ずしも賛同できる意見ではなく、「同調」しにくい場合もあるでしょう。

その点、「反復」は比較的容易であるうえに、拾い上げるポイントがうまければ発言者も気をよくし、議論を活性化できる手法ですので、この「反復」から試してみることをおすすめします。

まずは友人との雑談などで、１つずつ意識的に使ってみてください。**大切なのは、内容と状況に合わせてこれらの３つの手法を適宜繰り出すこと**で、慣れてくれば「反復」からの「同調」、「要約」からの「同調」といったように、合わせ技を使うことで、相手の気分を盛り上げていけるはずです。

Q

もっと議論を深めるにはどうすればいい？

A

ファシリテーターも手ぶらはNG！自分なりの仮説を用意して臨む。

仮説がなければ会議は始まらない！
極論が議論を活性化させることも

会議は、アジェンダ（議題）に対して結論を求めて話し合うための場です。

ところが、会議自体が目的化し、さして有意義な意見も出ないままだらだらと時間を消費してしまう……というのは、日本のビジネスシーンによくありがちな光景ではないでしょうか。

誰かが答えを導き出してくれるだろう。自分には決定権がないのだから何を言っても意味がない。そんな消極的な気持ちで会議に参加している人もいるかもしれません。

だからこそ、参加者たちから意見を引き出し、議論を活性化させるファシリテーターの役割が重要になるわけですが、ここで大切なのは、**アジェンダに対する仮説がなければ、効率的な議論にはならない**ということです。

たとえば企業内の会議で、「業績が低迷している事業を今後どうするか」というアジェンダが設定されたとします。

参加メンバーには当該部署の責任者もいれば、対照的に売り上げ絶好調の部署の責任者もいます。

ここで、「さて、どうしましょう」となんの指針もないまま議論をスタートするのは、たいへん効率の悪いこと。ただ口々に「売り上げアップの方法を考えろ」「不採算部門は閉じるべきだ」などと当該部署の責任者を責め続けるだけで、空気の悪い会議になりがちです。

もし「業績不振の原因は過剰な経費にあるのでは」という仮説が提示されていれば、「それぞれの経費の必要性と優先順位をあらためて確認しましょう」という明確な次のステップに進むことができるでしょう。あるいは、「現状の事業は根本的に市場のニーズと乖離《かいり》している」との仮説があれば、既存の商品やサービスを1つずつ見直すなど、やはり具体的な施策につながるはずです。

私自身も番組出演の際には、**その日のテーマに対してなんらかの仮説を用意する**ようにしています。

ファシリテーターである私が、個人の意見を述べることを目的としているわけではありませんが、それでも事前にトークテーマに対してひととおりの情報を集めながら、自分なりの考えをまとめておきます。

仮に暫定的《ざんていてき》なものであっても、自分なりの立ち位置がはっきりしていると、ゲストとしてお招きした識者や論客のみなさんの意見が、より鮮明に見えるようになります。自分が立てた仮説と異なる点があれば、なぜそう思うのかを具体的に質問しやすく、自分が思いもよらない情報を提示された場合は、むしろそれを積極的に掘り下げていきます。

ただしここで重要なのは、**いざ議論が始まったら、自分が用意した仮説にはこだわらない**ことです。

番組ではさまざまな意見が飛び交いますが、そこには少なからず自分にはなかった考え、あるいは視点が含まれています。それこそが議論の目的でもあるので、ファシリテーターはそうした意見を呼び水に、いかに話をさらに前へと進めていき、活性化させられるかが腕の見せどころ。むしろ、盛り上がれば盛り上がるほど、自分のなかに思考の手札が増えていくと考えるべきです。

ただ、こうして自分の仮説や参加者の意見をもとに進行しても、狭い範囲の議論に留まり、なかなか盛り上がらないケースもあります。そうしたときには、あえて極論を投げかけてみることもあります。

番組でも視聴者の方々から、さまざまな意見がリアルタイムで届きますので、それを紹介する形で議論の場に投げかけます。

「『いっそのことワクチン接種を国民に義務化すべき』との声もありますが」
「『国会議員の数を減らすには、参議院をなくせばいいのでは』との声も」
「『少子化対策には〝子どもを産んだら1000万円支給〟』とのご意見も」

「えっ」と思うような意見ではありますが、ときにこうした極論や暴論は思考の幅を広げ、議論に火をつけ、**なぜその意見は通用しないのか、問題の本質は何なのかを真剣に考えるきっかけを与えてくれます。**

こうして多種多様な意見が交わされ、番組が終わるころには自分の意見ががらりと変わっていることも珍しくありません。こういうときこそ、今日は有意義な議論ができたと、うれしくなります。

Q

苦手な人がいると、
仕切りづらくなってしまうのですが……。

A

どんなことでもいいので
いいところを探し、
発言者にリスペクトの
気持ちを。

こちらから寄り添うことがお互いのメリットに

ファシリテーターにとって大切なのは、参加者それぞれの個性や特性に惑わされることなく、つねに**議論の場を最善の状態に整える努力をすること**です。

しかし、なかにはファシリテーター自身にとって、そもそも馬の合わない人が顔を連ねていることもあるでしょうし、なんだか呼吸が合わなくてやりにくいタイプもいるでしょう。

人間誰しも相性はつきものですが、苦手な人を前にしてペースを乱し、進行がおぼつかなくなるようではいけません。

では、苦手なタイプをファシリテートする際には、どうすればいいのか。

答えはシンプルで、**とにかく全力で相手のいいところを探すこと**です。

たとえば相手の発言に対してその都度、「なるほど、それは重要なご指摘ですね」

と好反応を示すように心がけるだけでも、相手は決して悪い気はしないはずで、場の雰囲気がやわらぐでしょう。相手が何かを言うたびに、とにかく〝褒めポイント〟を探す努力をして、こちらは好印象を持っていることを態度で示すのです。

ファシリテーターが好き嫌いを表に出したり、誰かをえこひいきするようなことはあってはならないことです。自分がネガティブな印象を持ってしまっている人がいるなら、なおさらニュートラルなところまで気持ちを持っていく努力が必要です。

そして、そうした姿勢で議論を続けるなかで、実際に自分のなかのわだかまりが解け、相手への印象が次第によくなってくることも多いから不思議です。**ポジティブで的確なファシリテーションがチームの結束を高めるのは、ファシリテーター自身にも当てはまること**だと感じています。

アベプラには、世間で気難しいと思われている人や、バッシングのさなかにいる人が、ゲストとして出演されることもあります。そうしたとき、私は自らのファシリテーターの信念として、まずはゲストに寄り添い、言いたいことをきちんと話してもらえるよう、ほかの出演者や視聴者からの厳しい声から守るスタンスを取ることがあります。見ようによってはファシリテーターである私がへりくだりすぎているように受け取られることがあることも充分に理解しています。しかし、緊張でうまく話せない状況を作ったり、最初から周りが一斉に集中砲火を浴びせるのは、決してフェアであるとは思えません。自分自身も聞きたいことや言いたいことがあることもありますが、**まずは相手に寄り添い、私があなたを守りますという姿勢を見せることで初めて、相手は自分のホンネを話し、出演していただいた意味も生じてくるもの**でしょう。

見方を変えれば、会議などで苦手な人と同席する機会があることとは、**普段の自分なら聞くことのない意見に触れるチャンス**とも言えます。むしろファシリテーター自身を成長させるきっかけと捉えていきましょう。

Q

話し下手な人をさりげなくサポートするには？

A

ファシリテーターが言葉をたくさん積んで、考える時間を作ってあげる。

沈黙をできるだけ埋めてあげる配慮を

番組をご覧いただいている人にはおわかりのとおり、アベプラの出演者は、みなさん知識も豊富で話し上手な方ばかりです。それぞれがご自身の領域で活躍されているので、場馴れしているのも当然でしょう。

しかし、一般的な企業の会議となれば、必ずしも話し上手な人ばかりではありません。それでも立場上、重要なプレゼンを任せなければならないこともあり、たどたどしい口調を聞いているこちらが思わずヒヤヒヤ……といったこともあるかもしれません。

そんな人を**さりげなくサポートして、会議がスムーズに進むよう手を尽くすことも、ファシリテーターの大切な役割**です。

たとえば場馴れしていない新人に冒頭からコメントを求めるのは、無理があります。

場の雰囲気をやわらげるために、最初のうちはできるだけ弁の立つ人を中心に話を回していき、口下手な人には様子を見ながら「どうですか○○さん。ここまで聞いていて何かご意見ありますか」と、緩めに話を振ってあげるほうがいいでしょう。

それでも相手がしゃべりにくそうにしていたり、言いたいことはあってもうまく言葉を見つけられずにいたりするようなら、かけ合い形式で話を引き出してあげてください。

「○○さんは、以前こんなお話をされていましたよね？」と質問をして話をつなげたり、「そうですか、それはたいへんでしたね。そして、その後はどうされたんですか」と話しやすいように水を向けて、それとなく助け船を出してあげるのです。

本来、司会者は必要以上に言葉を連ねるべきではありませんが、こうして間を埋めてあげることは、不慣れな発言者の安心感を誘います。ファシリテーターがあえて発言を積み重ねることで、**相手に頭のなかを整理する時間を与える**わけです。

誰しも実のあることを答えるには、それなりに考える時間が必要です。しかし、参加者にとってとてもつらいのは沈黙で、黙って発言を待たれてしまうとますます焦ってしまいます。

その結果、思ってもいないことを口走ったり、不確かな情報を口にしたりすることは、その人にとっても不名誉なことになりますし、会議としてもマイナスにしかなりません。

ファシリテーターはしゃべりあぐねる本人に代わって間を埋めてあげて、場合によっては質問やかけ合いによって言葉を引き出す伴走者になってあげるといいでしょう。

Q

上司が部下にお説教を始めてしまい、
誰も止められない……。

A

会議は団体戦。
上司であっても
ファシリテーターが
協力を求める。

ファシリテーターの存在をあらかじめ周知させることが大切

会社の会議には、どうしても上下関係がつきまといます。なかには部下に対して、会議中にもかかわらず、くどくどとお説教を始めてしまう上司もいるかもしれません。これでは空気が悪くなるだけではなく、議論が進まずアジェンダの消化を妨げてしまいます。

だからこそ**誰がファシリテーターを務めるのか、あらかじめ明確に決めておくことが大切**です。

会議を効率よくこなすためには、**役職や年次から「なんとなく」で司会進行役を決めるのは禁物**です。あらかじめファシリテーターという役どころの必要性を示し、それを誰が務めるのかを決めておくべきでしょう。そして、ファシリテーターが決まったら、参加者に周知させることで、誰が進行の責任を負う立場にあるのかが明確になります。

任命されたファシリテーターは、会議の冒頭でこう念を押しておきます。

「ファシリテーターを務める○○です。本日は限られたお時間のなかで議論しなければならない議題が複数ありますので、みなさんご協力をお願いいたします」

ポイントは、単なる司会ではなく、進行の責任を一身に背負っていることをアピールすること。

時間は有限であり、設定されたアジェンダを消化し、会議の成果をきちんと出すことが自分に与えられたミッションなのだと最初に宣言しておくわけです。

もちろん、だからといって組織内での上下関係を無にするわけではありませんから、上司の立場をないがしろにするわけにもいかないでしょう。

ファシリテーターは上司を上手に立てながら、進行を司る立場として役割をまっとうしなければなりません。

そのため、もし部長職にある上司が、部下の発言に噛みついてお説教を始めたりした場合。ある程度までは言いたいことを言わせつつ、「部長、お話し中にすみません。

時間が迫っているのでその件についてはまたのちほどお願いいたします」と、下手《したて》に出ながらうまくカットインし、できるだけ穏便に次の議題に移る工夫が必要です。

会議はあくまでチームプレーであり団体戦です。その時間は全員が示し合わせて捻出したもので、お互いの時間を大切にする意識を共有しておきましょう。

司令塔であるファシリテーターが、あらかじめ会議の趣旨と自身の役割を参加者たちに伝えておく。そうすることで、話の脱線やお説教が始まり、それがたとえ上司によるものであったとしても、「いまそれがここで必要なのか」という観点から話を止めるかどうか判断することができ、話を遮られた上司からの理解も得られやすくなるはずです。

Q

言葉遣いが荒い人がいて、
場が乱れがちなときはどうすればいい？

A

優しい言葉に
言い換えながら介入し、
ゆっくりトーンダウン
させましょう。

カッとなっている本人がのちのち悔やまないよう配慮を

ハラスメントに敏感な昨今においても、誰かと意見を戦わせていてテンションが上がってくると、普段は使わない乱暴な言葉を発する人もいます。

明らかに怒気をはらんでいたり、大きな声を出されたりすると、萎縮して発言できなくなってしまう人もいますから、フェアな議論を維持するために、ファシリテーターは調整役を担わなければなりません。

そして何より、つい熱くなって暴言を吐いてしまった本人にとっても、終わったあとに後味の悪いものになってしまいます。

だからこそファシリテーターとしては、その**思いは大切にしながら、できるだけ自然に言葉遣いを軌道修正していくのが理想的な振る舞い**と言えます。

ポイントは、**鉄は熱いうちに打て**、です。言葉遣いが少しでも荒れてきたと感じたら、極力早めに、やんわりと引き戻していくことが重要です。

完全にヒートアップしてしまったあとでは、言った側も言われた側も、あとに引けなくなってしまいます。

では、言葉の端に不穏なものを感じ取ったとき、ファシリテーターはどうするべきか？

究極の理想は、本人も気づかないほど自然に、振り上げた拳をゆっくり下ろしてあげること。そのためには、**当人同士のあいだで使われている乱暴な言葉を、優しい言葉に言い換えていく必要**があります。

たとえば、ネガティブな言葉はその反対語を否定する形で和らげるのが、私の常套《じょうとう》手段です。

「それは政策としては最悪だ！」と言う論客に対しては、「○○さんのご意見としては、その政策はあまりよろしくないということですが、それはどうしてでしょうか？」とカットイン。

「そんな卑怯《ひきょう》なやり口はいつまでも通じないぞ！」と言う論客に対しては、「〇〇さん、その手法はあまりフェアではないということですが、ではどうすればいいのでしょうか？」とカットイン。

「いつまでも頭の悪いことをやってちゃダメだろ！」と言う論客に対しては、「〇〇さん、たしかにそれはあまり賢明なやり方ではないかもしれませんね」とカットイン。

ささやかに言い換えることで摩擦を減らし、カットインを繰り返すことで徐々にトーンダウンさせていくのです。

ファシリテーターが、この場ではこういう言葉遣いでいきます、ということを自らが使いながら示すことで、参加者たちはその表現に自然と合わせてくれるようになります。

鋭い表現はどうしても角が立つので、それに対する聞き手の不快感をいかにやわらげるかがファシリテーターの腕の見せどころ。そして、あくまで質問の形を取りながら、ヒートアップしている本人たちに言いたいことをしっかり言わせることも、議論を前に進めていくためには大切です。

Q

〝掘り下げるべき話題〟は
どう見極めればいいですか？

A

話し手の熱量と
参加者の反応を見て、
フレキシブルな対応を。

聞いている人たちのリアクションに注目する

意見を募る会議では、多種多様な声が飛び交い、参加者たちが積極的に議論に参加できる会議を目指したいものです。

そのためにファシリテーターは、熱量の高いテーマについては、参加者たちにさらに発言の機会を与え、異論や反論も積極的に取り上げていきます。

一方で、参加者の関心が低く、広がりに欠けるテーマについては、早々に切り上げて次へと移行させていきます。

そうしたテーマの見極めにあたって、私が判断材料にしているのは、**話し手の「熱量」と、それを聞いている参加者たちの「反応」**です。

強い意見や思いを発している人は、その言葉の端々に熱を伴うものです。

言葉に力がこもっているということは、その人の思いの強さや感情の高ぶりを示すもので、議論の場に緊迫感をもたらします。ときにそれが本題から逸れた意見であっても、傾聴に値するものであったり、人を巻き込む力があったり、あるいは議論すべき新たな論点を提示するものであるならば、あえて時間を気にすることなく、話し手が納得するまで話を続けさせる選択をすることもあります。

しかしときには、話し手だけが1人でヒートアップしていて、それを聞いている人たちのあいだに、どこかしらけムードが漂っている……という状況もあります。

そこで、ファシリテーターにとって大切なのは、熱弁を振るう話し手にばかり意識をとらわれずに、聞いている参加者たちの反応に目を配ることです。聞き手のリアクションを見ながら、取るべき対応を決めていきます。参加者の多くにとって、議論を深める価値を感じさせない的外れなものであるならば、ファシリテーターは**話し手の声を受け止めつつ、どこかでその話を切り上げていく判断が必要**です。

逆に、話し手自身が熱を発していなくても、聞いている人たちのリアクションが大きいケースもあります。ある人の声が、別の人の思いに火をつけるケースです。

そうした場合は、前のめりの姿勢になっていたり、食い込んででも話したそうという態度に表れますので、ファシリテーターはそこを見逃さずに、適切なタイミングでその人に話を振ることで、議論に拍車がかかっていきます。

同時に話したそうな人が複数いるケースでは、より思いが強そうな人か、それまでひと言も発していない人を優先させます。その際には、「Aさん、ちょっと待ってください。のちほどご意見をうかがいます。先にBさん、どうぞ」のひと言があれば、Aさんにも納得してもらえます。

聞き手の声に耳を研ぎ澄ませながら、参加者たちの姿勢や態度を鳥の目で見ておく。

そうした進行を意識することで、参加者たちを巻き込んだ、テンポのいい会議が生まれます。

Q

ファシリテーターは、つねに冷静でいるべき？

A

ときには
あえて熱量を上げ、
場を盛り上げる必要も。

活発なブレインストーミングを促すために わざとリミッターを外すことも!?

進行を司るファシリテーターは、できるだけ冷静な仕切りが求められる立場ですが、ときには自分自身がヒートアップしてしまうこともあります。

アベプラでもときおり、私が自分の意見を主張したり、論客と熱い議論を交わす場面がありますが、じつはこれ、ある程度はあえてやっている面もあります。

番組では、個人攻撃のようになってしまっている発言をたしなめたり、着地点の見えない話を切り上げたりと、論客たちに冷静な議論を促す役割を担っていますが、そこは番組である以上、〝盛り上げるべきタイミング〟があるのもまた事実です。

議論が低調で盛り上がりに欠ける場面では、ファシリテーター自身が極論を投げかけたり、テンションを高めてその場を活性化させることもあります。

議論の幅を広げたり、深みを増すためには、**ときに自分自身が身を削って、話の輪に飛び込んでいく覚悟が求められます。**そして、議論に火がついて、ほかの論客たちが身を乗り出してくれれば、今度は自分がすっと身を引いて、またもとのポジションに戻ればいいのです。

進行ロボットに徹することなく、議題への熱い思いを見せることも大切

ファシリテーターは単なる進行ロボットではありません。

あくまでその会議に参加するメンバーの1人でもあることを忘れてはいけませんし、それを節目節目でアピールすることも大切だと考えています。

ただ日和見的に進行を担っているのではなく、誰よりもその議題に熱い思いを持ち、ときに自身の意見も織り交ぜながら進行していることがわかれば、その熱意に一目置かれ、立場が尊重されて進行しやすくなるメリットもあります。

ただし、それもバランスが大切で、番組のなかでギアを上げて強めの意見を述べたりするのは、せいぜい週に一度くらいに留めるようにしています（笑）。

あくまで他人に対する配慮を守ったうえで、自身の熱量を上手にコントロールしていければ、議論をより盛り上げることができるでしょう。

Q

知識のない話題が飛び出したときは、
どう対応すればいい？

A

**正直に「わかりません」と
言うことで、
いっそう信頼を
得られるケースも。**

その場しのぎの知ったかぶりは かえって信用を失うことに

自分なりに準備をしたつもりでも、議論が深まっていくうちに、思いがけない領域に踏み込んだり、下調べが足りていなかった話題に触れなければならない場面もあります。

どんなテーマであれ、進行役であるファシリテーターが知識不足を露呈してしまうのは、やはり見栄えのいいものではありません。

それでも限られた時間のなかで１００％の準備を整えるのは難しいもの。

では、予期していなかった話題で答えに窮する場合、ファシリテーターはどう対応すべきでしょうか？

最善の答えは、**わからないときは正直に「わかりません」と言うこと**です。

番組を進行するにあたっては、たとえ事前の準備がしっかりできたと思えた場合でも、出演者や視聴者のなかに、自分より知識のある人が必ずいることをつねに念頭に置いていています。それは会議などでも同じで、知識不足はすぐに見透かされ、**無理に取り繕ったり、知ったかぶりをすると、その人への不信感にもつながります。**

それよりも、知識の限界をはっきりと伝えるほうが、よほど信用してもらえます。

あるときのアベプラでは、公衆衛生の専門医にゲストで出演していただいた際、論客のみなさんからさまざまな疑問、質問が飛び交いました。

その先生は、自身が答えられる範囲に、はっきりと線を引いていたのが印象的でした。

「その点については、確かなエビデンスがないので私にもわかりません」
「いまのところこういう説が有力視されていますが、実際のところは不明です」
「私もそこは理解していないので、今後研究したいと思います」

専門家であるからこそ、わからないことは「わからない」と明言する。清々《すがすが》しさすら感じる、その堂々たる姿勢に、スタジオのメンバーは深い感動を覚え、「いまわかっていること」と「まだわからないこと」が、よりいっそう明確になったのでした。

これは会議の場でも同様でしょう。

知識が不足している部分について質問を受けた場合は、素直にお詫びし、**「次回までに調べておきます」と言える人のほうが、周囲の信頼を得やすい**はずです。

ファシリテーターだからといって、その場の議論についてどんなことでも知っているわけではありません。**わからないときには「わかりません」と、すっと言える気持ちでいる**ことは、思わぬ形で信頼を失わないためにも、大切な心構えの1つです。

Q

想定外の展開に、
頭が真っ白になってしまったら？

A

**想定していたシナリオに
とらわれすぎないことも
大切です。**

慌てふためかない秘訣は想定しすぎないこと

会議とは生き物で、ファシリテーターが事前にどれほど入念に展開をシミュレートしていたとしても、必ずしもそのとおりに進むとはかぎりません。

むしろ、想定外の議論こそ歓迎すべきで、そうでない場合は新しい視点や発見に欠けた会議とも言えます。

ファシリテーターに求められるのは、議論がどのような方向へ展開しても、つねに道筋をコントロールしながら、最終的にその場を着地させることです。

アベプラでも、さまざまな論客たちが生放送で議論するだけに、ときに予定していたシナリオから大きくかけ離れて進んでいくことが珍しくありません。

それはそれでおもしろいことも多いため、あえて静観したり、脱線に加担したりしながら、最終的な番組としての落としどころを模索することもあります。

ここで懸念すべきは、論客同士の議論がヒートアップしていくうちに収拾がつかなくなることで、予想外の展開にファシリテーターが慌ててしまうようではいけません。

同様のことは会議でも起こりうるはずで、想定外の事態への対応力が必要です。

では、いざというときに慌てないためにはどうすればいいか。

それは、**本番が始まる際には、シナリオはいったん頭のなかから捨ててしまうこと**です。

想定外の展開に慌ててしまうのは、展開をあらかじめ想定しているからです。進行にとらわれすぎているから慌ててしまうわけで、それならむしろ、細かな流れは頭のなかから取り払ってしまったほうがいいでしょう。

だからといって、基本的なテーマや論点を完全に忘れてしまってはいけません。話題がどれだけ脱線しても、本来あるべき方向性に向けて議論をコントロールするために、最低限の論点だけは押さえておく必要があります。

ファシリテーターが方向性と論点さえ意識していれば、議論をいつでも本題に引き

戻すことが可能です。それはファシリテーターにとっての安心感にもつながるでしょう。

コツは、想定していたシナリオにとらわれず、どっしりと構えて展開を見守ること。想定をいったん頭のなかから捨て去るのは、いささか勇気のいることに思われるかもしれません。逆説的にはなりますが、だからこそ、入念な準備が必要なのです。

Q

いい意見が引き出せず、議論が停滞してしまいがちです。

A

〝一人＝一《ひと》見せ場〟を意識して、時間の配分を考えましょう。

自分の見せ場があるとわかれば会議に臨む姿勢も変わる！

そつなく司会が務められることと、上手なファシリテーションは、別物です。アジェンダに沿って淡々と進めることはできても、肝心の成果が伴っていなければ、実のある会議とは言えません。

実際、何度も会議を重ねても、有意義な意見やアイデアが出てこないため、なかなか課題の解決に至らないケースも多いのではないでしょうか。

私の周りにも、「いい意見を引き出すにはどうすればいいのか」と頭を悩ませている人は少なくありません。

意見を多く募るのに有効なのが、「参加者全員をバッターボックスに立たせる」手法です。

具体例をいくつかご紹介しましょう。

まず、**会議の冒頭で「今日はお1人ずつ、きちんとご意見をうかがう時間を取りたいと思います」と宣言する**やり方。これなら、その場にいる全員があまねく考えを述べることができるはずです。

この際に、時間と人数から、1人に割ける時間をおおよそ算出し、1時間の会議に6人が参加するなら、議論をするにしても1人10分弱が持ち時間だなと、なんとなく進行のイメージをつかむことができます。1人の発言時間が長すぎる場合は、その持ち時間を意識しながらほかの参加者たちに話を振っていくと、多少の凸凹は生じたとしても、バランスのいい進行が可能になります。

次に、いつもベテラン勢ばかりが活発に口を開き、若手の遠慮が目立つ場合には、「今日は最初に若い人たちのご意見を中心に聞いてみたいと思います」と最初に宣言し、ベテラン勢に配慮を求めるのもいいでしょう。

また、世代ではなく部署や役職で区切って、時間配分を明確に示すのも手です。

重要なのは、そこにいる全員に打席が回ること。

ファシリテーターは1人ずつ見せ場を用意するつもりで采配していきましょう。

　すると、これまで会議で目立たなかった人たちの姿勢も変わり、会議そのものが活発になるはずです。

〝一人《ひと》＝一見せ場〟を意識することで、参加者全員のやる気を高め、多種多様な声を拾い上げる。それによって参加者たちも自分自身の存在意義を確認でき、会議への満足感もきっと高まることでしょう。

Q

相手に気を遣いすぎて、
異論や反論を取り上げにくいのですが……。

A

**きちんと受け止めた
姿勢を示すことで、
反対意見も
言いやすくなります。**

頭ごなしに否定していては相手は聞く耳を持ってくれません

参加者が上司や先輩ばかりであったり、気を遣わなければならないクライアントが中心であったりすると、立場の弱い若手社員などが萎縮してしまい、単なるイエスマン状態に陥ってしまうこともあります。

しかし、会議としてそれは健全とは言えません。賛成も反対も両論相まみえてこそ、建設的な議論となり、ファシリテーターとしては1つの意見に対して広く異論を募りたいところです。

とはいえ、誰かの意見に対して真っ向から異を唱えるのは、どうしても角が立つもの。それでも異論を俎上《そじょう》に載せるためには、どうすればいいのか。

大切なことは、**いったんきちんと相手の意見を受け止めること**です。

相手の意見をしっかりと聞いている姿勢を示したうえで、「なるほど、その点はたしかにおっしゃる通りですね」とそこまでの流れを着地させて、そのうえで「一方でこういう意見もありそうですが……」とつなげたり、「それでは、こういう反論があった場合はどうお考えでしょうか」などと展開していけば、言われた相手もさほど気分を害することなく、議論を深める方向に進めることができます。新たな論点をさりげなく追加する形で、異なる立場について意見を求めるテクニックです。

たとえば、新型コロナウイルスに対するワクチン接種について、賛成派と反対派のあいだでさまざまな議論が巻き起こりました。

仮に、賛成派がどれだけ声高に「一刻も早くパンデミックを収束させるために、全員ワクチンを打つべきだ」と訴えたところで、反対派の理解は得られません。

それよりも、「副反応が怖い」と言うのであれば、「そうですよね。その気持ちもわかります」といったん受け止めてあげたほうが、コミュニケーションはスムーズに運ぶでしょう。

そうして受け止めたうえで、「でも私はやっぱり感染リスクのほうが怖いので、ワクチンを打とうと思うんですよ」と言えば、相手も「そうですか」と互いの立場を穏便に理解してくれる可能性が高まります。

また、ワクチン反対派から「どんな弊害があるのかわからないのに、接種すべきではない」と言われたとしても、「そうですよね。たしかにその気持ちもわかります」といったん受け止めることで、相手も別の意見に耳を傾けてみる気が芽生えるかもしれません。

そのうえで「ただ、そろそろ両親にも会いたいので、不安はありますがワクチンを打とうと思うんです」と言えば、相手も「まあ、そういう人もいるよね」と、「同意」まではいかなくても「共感」して、個人の判断を尊重してくれるかもしれません。

つまり、**いかにして相手に聞く耳を持たせるかが重要**で、頭ごなしに相手の意見や立場を否定する問答からは、ポジティブな議論は生まれません。何が本当に正しいのか、明確な答えがないからこそ議論しているわけですから、意見のバリエーションは多いほどいいとも言えます。

さらには、**意見が対立する場面では、第三者、あるいは人ではない何かに矛先を変**

える方法もあります。

ワクチンの例で言えば、賛成派と反対派、それぞれの意見が出そろったところで、「それにしても、本当にコロナウイルスが憎いですね。いったいいつまで続くのでしょうか」と、共通の敵を見出すことで、両者がともに同じ方向に向かって結論を出そうとする姿勢に転じていくこともあります。両者の一致点を見出して、そこをよりどころに共感の輪を広げていく方法です。

議論のムードが悪くなってきたときには、ファシリテーターは「どこならわかりあえるか」を探す意識を高めてみましょう。

よきタイミングでそれを議論の場に投げかけることで、対立する両者が救われることもありますので、ぜひ一度試してみてください。

第 2 章

話し合いを円滑に進めるコツ

ここでは、話し合いを円滑に進めるための
コツについて、ご紹介します。
ファシリテーターのテクニックひとつで、
会議やチームをみるみる活性化することができます。

Q

会議の出だしをスムーズにするには？

A

会議の序盤は、否定的なコメントをできるだけ避ける。

序盤は議論の材料集めに注力
反論や評価は後回しに

会議でもトーク番組でも、冒頭からいきなりフルスロットルのテンションで始まることは、まずありません。誰しも序盤はアイドリング状態であり、場の様子をうかがいながらという雰囲気になりがちです。

そこでファシリテーターは、とにかくたくさん話をしてもらうことに注力すべきで、**序盤にどこまで意見を言わせることができるかによって、その後の議論の深さが決まる**と言っても過言ではありません。

まず意識していただきたいのは、**会議の序盤は議論の材料を集める時間にあてるべき**、ということです。

そこで大切なのは、〝安心して話せる場である〟とその場の人たちに認識してもらうことで、序盤は出された意見に対する否定的なコメントを排除していく努力が必要です。

言いたいことを自由に言ってもらい、それに対する反論が出そうであれば、「ご意見がある方はのちほどお聞きしますので、まずは○○さんのご意見をうかがいましょう」と、すかさずカットインしていきましょう。

当然、ファシリテーター自身も、序盤は相手の意見を引き出すことに全力を注ぎます。

「そうですか～」「どうしてそう思うのですか？」「なるほど～」と、相手の話に関心があることを態度で示し、できる限り深いところまで相手の考えを引き出します。

ここでは、相手の意見を評価する姿勢を持ってはいけません。仮に、明らかに同意できないものであったとしても、相手が何を考えているのか、なぜそう考えているのかをすべて話してもらうことに徹します。

また、ファシリテーターにとっては、振る舞い方やムード作りも極めて重要です。

会議を作るのは意見を出し合う参加者たちですが、口火を切るのはいつでもファシリテーターの役割。そのため、話しやすいムードを演出するには、できるだけ朗らかに、そして愛想よく語りかけるファシリテーションが求められます。

明るい表情を意識し、声のトーンを上げるだけでなく、相槌などのリアクションも普段よりも大きめに取って、その場のムードを作っていきましょう。

このほか、時間に余裕があるなら、その日のアジェンダを提示する前に、少し雑談を挟んでもいいでしょうし、参加者に何かめぼしいトピックがあれば、それに絡めてアイスブレイクを図るのもいいでしょう。

誰もが話しやすいムードを作るために、そしてその日の議論を有意義なものにするために、ファシリテーターは会議のスタートにこそ最大限に気を配らなければなりません。

Q

アジェンダが多くて、
時間配分がうまくいかないのですが……。

A

あらかじめアジェンダを
開示して、参加者にも
進行管理に協力して
もらいましょう。

議題や論点を提示しておくことは話の脱線を防ぐ効果も

ファシリテーターの重要な役割の1つに、進行管理があります。

これは議論の内容をコントロールすることもさることながら、単純なタイムマネジメントの意味も含みます。

予定していた時間内に会議が終わらず、参加者のその後のスケジュールに差し支えるようなことがあってはいけません。

しかし、日によってはアジェンダが多く、また論点も複雑で多岐にわたり、よほど上手に時間を配分しなければ予定時刻に会議を終えることができないケースもあるでしょう。

そんなときは、ファシリテーターだからといって、孤軍奮闘する必要はありません。**参加するみなさんにも、遠慮なく進行への協力を求めましょう。**

会議の冒頭でまず、その日のアジェンダを提示し、「本日はこれだけの議題を消化しなければなりません。時間がギリギリなので、こういう論点で進めていきたいと思います」などと宣言することで、意思統一を図ります。

会議である以上、さまざまな意見を募ることも重視しなければなりませんが、それらが絡み合うことで論点がずれていくのは避けなければならないと、その場にいる全員で共有するのです。こうすることで、**話の脱線を防いだり、参加者たちが、いつ自分が意見すればいいのかが明確になる効果もあります。**

たとえば、1時間の会議で3つの議題について結論を出さなければならない場合。

最初の議題について15分。

次の議題について15分。

最後の議題について15分。

冒頭と締めのまとめに合わせて15分しか使えないことを最初に示しておけば、誰もが話したいことをなるべく簡潔に発言するよう意識してくれるでしょう。

ただし、展開次第で一つひとつの議題が長くなったり短くなったりすることは、問題ありません。時間管理の意識が強すぎるあまり、有意義な議論を途中で打ち切るようでは、充分な成果は得られないでしょう。

ファシリテーターは俯瞰的な視点で議論をコントロールし、その都度柔軟に対応しなければなりません。

あくまでタイムマネジメントの責任はファシリテーターにありますが、**参加者たちを巻き込んで時間の使い方を意識させることで、ゴールに向けての一体感も高まり、引き締まった会議を作ることができます。**

Q

参加者の多い会議では、
なかなか最初の意見が出ないのですが……。

A

その場にいない
第三者の意見を
借りてみる。

意見しやすいライトなテーマから始めて場の安心感を醸成する

参加者の多い会議は、どうしても緊張感が漂うものです。

初対面同士の多い場であればなおさらで、お互いにペースがつかめず、探り合いのような空気のなかで活発な議論を促すのは、ファシリテーターとしても至難の業です。

そこで、場を解きほぐすアイスブレイクを目的に、最初はできるだけ誰もが口を開きやすいライトなテーマから始めるといいでしょう。

また、それでも場の緊張感に押されて、なかなか最初の発言が出てこないときには、テーマに絡めて**その場にいない第三者の意見を紹介する**のがおすすめです。

「最近、社内の若い世代からこういう意見をよく耳にしますので、ぜひそれを踏まえてみなさんのご意見をうかがいたいと思います」

「インターネットで見かけたこんな意見が今日の議論の参考になるかもしれません」
「いま、こんなツイートが注目されています」
「先日、評論家の○○さんがこう発言していたのですが……」

これは番組内で私自身もよく使う手法の1つで、呼び水となる最初の発言を、その会議の外にアウトソースしてしまおうというわけです。

1つ目の意見さえ俎上に載せれば、それに対する賛同や反論、異論など、さまざまな声が上がりやすくなり、自然な議論を促せるでしょう。

または、参加者全員とまんべんなく面識がありそうな、**その場において〝おなじみ感〟のある人から発言を促すのも一案**です。

会議の場に緊張感が漂うのは、知らない人が大勢いることによるケースも多く、よく知っている人が口火を切ってくれれば、ほかの参加者も意見がしやすくなり、議論が回り始めるというわけです。

また、知らない人がファシリテーターを務めている会議は、どうしても発言しにくいものなので、**最初の1分間を拝借して、あえてファシリテーターが自己紹介してみる**のもいいかもしれません。

挨拶だけではなく、簡単な経歴などを交えつつ、なぜこの場のファシリテーターを担うことになったのかを付け加えれば、参加者たちは安心感を持って議論に参加してくれることでしょう。

Q

誰もが自由に意見を言いやすいムードを作るには……？

A

不意打ちは禁止。それぞれに必ず意見を求めることをあらかじめ伝えておき、〝全員参加感〟を出す。

出番があるとわかっていれば議論への集中力も高まる

有意義な会議の条件は、すべての参加者がそれぞれの立場から自由に意見を言えること。多種多様な意見やアイデアが出て初めて、その会議は意味を持ちます。

しかし、いつも声の大きな一部の人ばかりが意見を言い、そのほかのみなさんはまるでオーディエンスのように相槌を打つのみ、ということも珍しくありません。

とくに入社まもない若手社員は、存在感を発揮しにくいもの。とかく多様性が求められる昨今、老若男女から幅広い意見を募ることも会議の重要な目的であるはずです。

そこで私が普段から心がけているのは、**不意打ちをしないこと**です。よほど話し慣れている人でないかぎり、突然話を振られても、いい意見は出せません。しどろもどろで無理やり何かを言わされる経験をしてしまうと、むしろ二度とその会議には参加したくないと思うことでしょう。

そこで、番組が始まる前に、私は参加者のみなさんに対してこう伝えるようにしています。

「今日はみなさん全員にご意見をうかがいたいと思っています。ちょっとしたアイデアでも質問でも、どんなことでもいいので、ぜひ考えておいてくださいね」

つまり、**一人ひとりに必ず出番があることを、あらかじめ宣言しておく**のです。

この際、発言のハードルをいかに下げられるかがポイントで、「会議（番組）の進行や議論の流れと関係のない質問でも構いませんので、気になったことをなんでも自由におっしゃってください」と付け加えれば、参加者の気持ちもぐっと楽になるでしょう。

何より、事前にそう伝えておけば、誰もがいつ話題を振られてもいいように、会議の流れを注視してくれるようになります。

つまり、**その場にいるメンバー全員の集中力と参加意識が高まり、結果として多様な意見が飛び交う有意義な会議ができあがる**のです。

最近ではオンラインで行われる会議も増えました。そのためマイクをオンにしているのは中心となって話す人のみで、それ以外のメンバーはなんとなくそのやり取りを聞いているだけの状態に陥りがちです。

そこで前置きなく突然話を振られ、ミュートの解除を求められても、よほどアドリブが利く人でもなければ、しどろもどろになってしまいます。

しかし、誰もがあらかじめ発言を求められることがわかっていて、会議が始まった瞬間から全員がきちんと参加意識を持っていれば、他人の意見から気づきを得て、それに対してどう思ったのかを考えるという、建設的なスパイラルが生まれます。

誰かの発言に反応した別の誰かから、新たな意見が生まれる。その繰り返しが活発な会議を作ります。そのための地ならしをしておくことも、ファシリテーターの大切な役割です。

Q

オンライン会議を上手に仕切るには?

A

相槌は多めに。オーバーリアクションを心がけましょう。

リアクションを盛って話しやすい雰囲気に

コロナ禍以降、私たちの働き方は大きく様変わりしました。ZoomやTeamsに代表されるオンラインツールの浸透は、その最たるものでしょう。

どこにいても会議や打ち合わせが行えるようになったのは大きなメリットですが、一方で、「対面でなければやりにくい」「細かなニュアンスを伝えにくい」といった声もよく耳にします。やはり画面越しでは伝わりにくいものがあると感じます。

ファシリテーションもまた、オンラインによってとても難しくなりました。

何か言いたいことがあるときでも、どう切り込んでいいのかタイミングがつかめなかったり、同時に声がかぶってしまうこともよくあり、オンラインではイニシアチブを握った人にばかり発言権が偏ってしまいがちです。

その反面、名指しされれば黙っているわけにもパスするわけにもいきませんから、具体的な意見を用意していない人でも〝しゃべらされる〟ことがあるのもオンライン会議の厄介なところです。

では、オンライン会議において、ファシリテーターはどのように振る舞えばいいのでしょうか。

こなすべき役割は、リアルの場合と基本的には変わりません。1人でも多くの人が言いたいことを言える場を作ることを意識すべきで、そのためには**普段よりもややオーバーなリアクションを心がけるのがポイント**です。

たとえば相槌ひとつをとっても、「へえ」「なるほど」と細かな合いの手を入れながら、いつもより少し多めにうなずくように心がけてみてください。

これを参加者全員がやるといささかうるさくなりますが、発言者と向き合うファシリテーターだけは別。相手の声がきちんと聞こえていること、そして、意見をきちんと聞いていることを態度で示して、話しやすい空気を作っていきましょう。

声色や表情も同様です。少しだけ声のキーを上げたり、いつもより感情を込めて

「そうですか！」とリアクションしたり、目を見開いたりしてみせることで、相手は自分が意味のある発言をしていると感じ、ノってくるものです。

アベプラでも、オンラインで登場していただくゲストがいます。

相手の立場になって考えてみれば、スタジオの雰囲気がわからず、自分の話にどの程度関心を持っているのか、やはり気になるはず。

そのためファシリテーターである私は、**相槌などのリアクションをいつもよりも少し大きめにして対応する**ようにしています。

オンラインでのリモートであれば、自分の声がきちんと届いているのか、こういう話でいいのかと、誰しも不安になるはず。**ファシリテーターは相槌を巧みに駆使して、発言する人に寄り添うことが大切**です。

Q

トチったり、言い間違えたり、
会議でミスってしまったときは？

A

失敗もチャーミングに！
しくじったあとの
振る舞いが大切。

何事もなかったかのように次に進むか、お詫びが必要か、速やかに判断を

大前提として、ちょっとした言葉の端を言い間違えてしまったり、期せずしておかしな言葉になってしまったり、いわゆる〝噛む〟ことを恐れすぎる必要はありません。ミスが出てしまうことは、訓練を積んだプロのアナウンサーでもしばしば起きることです。

むしろ、ささやかな言い間違いを気にしすぎるあまり、ファシリテーターがその後もオドオドと落ち着かなくなってしまうようでは、会議全体の雰囲気に影響してしまい、そちらのほうがよほど問題でしょう。

とはいうものの、実際にミスをしたときの気まずさと情けなさを経験すると、なんとか失敗を避けたいと思う気持ちもよくわかります。

そんなときに思い起こすのは、かつて先輩アナウンサーから教えられた、「どうせ

噛むならチャーミングに噛め」という言葉です。

これは画面内における見栄えの問題でもあり、言い間違えてしまったりした様子が変に痛々しく見えるようではいけません。その様子を見ている人たちにとっても、居心地の悪いものとなってしまうからです。

実際、テレビでアナウンサーがミスをする姿は珍しいものではなく、事後の対応が上手な人こそ、その人への信頼感や安心感が深まるものです。

つまり、**重要なのは失敗しないことではなく、しくじった直後の振る舞い方**なのです。

気にならない程度の小さなミスであれば、何事もなかったかのように、堂々とそのまま次へと進めていけば、動じない姿勢がミスをカバーしてくれます。一方で、気まずいレベルのミスが出たときには、速やかに「失礼しました」とひと言お詫びをして本題に戻れば、参加者たちもあとを引きずらずに内容に集中できるでしょう。

さらに、話しているテーマや失敗の内容次第では、ミスを笑いに転換できたり、場を和ませたりできるケースもあります。人間は失敗するものだという前提に立ち、ミスしたときには、内面に込み上げてくる恥ずかしさを乗り越えて、「いまこそが見せ場だ」という強い気持ちで対処したいものです。

また、言い間違いを恐れるあまり、あらかじめ進行のシナリオをしっかりと文章化して会議に臨む人もいるかもしれませんが、これには一長一短があります。

「本日は○○について議論したいと思います——」と手元に原稿を用意しておけば、たしかに安心感にはつながりますが、その反面、どうしても堅苦しい雰囲気になってしまいます。

最低限の原稿を準備しておくにしても、「さあ、それでは始めましょうか」と、できるだけ自然体で、そして会話をするかのように自分の言葉で進行することができれば、ちょっとしたミスもおのずと気にならなくなるのではないでしょうか。

過度にミスを恐れる必要はありません。ミスをしても動じない。お詫びが必要なときは速やかに。どうせ失敗するならチャーミングに。

そんな意識を持って、ぜひリラックスして会議に臨んでください。

Q

話しだしたら止まらない論客を穏便に制するには?

A

相槌を打ちながら静かにカットイン。無闇に話を切らずに、理解を示しながら引き取る。

相槌のバリエーションで議論の展開をコントロール

討論番組などで、他人の発言を遮って強引に自分の意見を主張しようとする人の姿を見かけることがあります。言いたいことをアピールするテクニックの1つかもしれませんが、見ていて気持ちのいいものではありません。**正しいコミュニケーションは、相手の話をきちんと聞くことから始まります。**

私はアナウンサーですが、アベプラのように複数の論客が出演する番組においては、「しゃべる」ことより「聞く」ことに主眼を置いています。**ファシリテーション力とは、ひと言で言えば「聞く力」**です。たとえ用意された台本から大きく話題が外れていようとも、ひとまずその意見に耳を傾け、有意義な盛り上がりを見せるようならさらにその話題を膨らませる方向に導くこともあります。

しかし、なかには自分の意見を伝えたいという熱意が高じ、ほかの人の意見に耳を貸そうとしないゲストもいます。これでは番組が成り立ちませんから、どこかでストップをかける必要があります。

アベプラの放送中には、視聴者から次々にコメントが寄せられてきますが、発言者の話が長すぎるときには「話が長すぎる。なんとかして」とか「平石さん、介入して」といった声も上がってきます。その際、興奮気味の相手から穏便に話を引き取るために有効なのが、相槌です。

「うんうん」とうなずいてみせる仕草は、相手の話を聞いていることを態度で示すものので、これに相槌をうまく交えていくことで、相手の気分を害することなく発言を収束させていくことができます。

「えぇ、えぇ、そうですよね」「へ〜、なるほど〜、よくわかります〜」と、少しずつ相手の言葉にかぶせながら、暗に〝あとはお任せください〟や〝そろそろ終わりですよ〟というニュアンスを醸し出して発言を引き取っていくのです。

さらにそのあと、「○○さんは、このご意見どう思われますか〜」と言えば、発言者の話が終わっていなくても、自然に○○さんへ発言のターンは移っていきます。誰かの発言を終わらせたり、別の誰かに話題を振ったり、あるいは引き取って次のテーマに移ったりする**〝進行の起点〟は、じつは相槌にある**のです。

相槌にも強弱がありますから、たとえば舌鋒《ぜっぽう》鋭い人には激しく同意してみせたり、自信のなさそうな人には優しく包み込んであげたり、状況に応じて使い分けが可能です。

また、そろそろ会議の終了時刻が迫ってきているのに、構わずしゃべり続けようとする人を諫《いさ》める場合にも相槌は有効で、「え〜、いや〜、本当に〜、そうですよねえ〜」と語尾を伸ばして、いつもより大きく、そしてゆっくり何度も相槌を挟んでいくことで、**そろそろ幕引きが迫っている雰囲気を醸し出す**ことができます。

相槌で相手の話に静かにカットインしながら、少しずつ自分の言葉数を増やし、引き取っていく。相手に嫌みにならない形で発言を収束させていく貴重な方法ですので、ぜひ試してみてください

Q

参加者同士の意見がぶつかり合って
険悪なムードになったら……?

A

ファシリテーター、
緊急出動。
あいだに入って、
怒りの矛先を
変えましょう。

要約しながら双方を引きはがし第三者に話を振って、いったんリセット

会議の場でさまざまな意見が飛び交い、熱を帯びてくると、どうしても異なる意見がぶつかり合って、険悪なムードになることもあります。

それぞれの意見をしっかりと言い合えることは、言いたいことも言えないのに比べれば内容の濃いものと言えるかもしれませんが、**後味の悪い会議になることはなんとしても避けたい**ところです。

少なくとも、参加者に「こんな会議、もう二度と出たくない」と思わせてしまうようでは、ファシリテーションは失敗と言わざるをえないでしょう。

アベプラでも、論客同士の意見が真っ向からぶつかり合う場面がしばしば見られます。

たとえば、ゲストの1人が「そんなことを言っているから駄目なんだよ！」などと

頭ごなしな言い方をした場合、それを言われた相手がカチンとくるのは当たり前。一線を越えたと判断したら、速やかに割って入って介入しなければ、対立する双方にとってのイメージも悪くなり、傷口が深くなります。そう判断したらタイミングを逃さず、ファシリテーターは緊急出動です。

まずは、対立する両者を引きはがします。

「なるほど〜、わかりました〜。いま○○さんがおっしゃったのはつまりこういうことですよね。たしかにその視点も大切だと思います」とフェードインしながら割って入り、それについて別のゲストに意見を求める。これでいったん流れをリセットすることができます。

また、発言の主旨がつかみにくかったり、言い換えが難しかったりした場合は、**質問に切り替えながら、組み合っている状態をほぐしていくのも有効**です。

「いま○○さんがおっしゃったのは、つまりこういうことですか?」

「なるほど。一方でこういう意見をお持ちの方もいらっしゃるようですが、これについてはどう考えますか？」
「〇〇さんのご意見、たいへん参考になります。しかしその場合、こういう問題も起こりそうですが、その点についてはいかがでしょうか？」

そして、これらはゲストをクールダウンさせるのを目的としていることもありますが、軌道修正しながら理解を深めるために繰り返していくこともあります。ともすれば同じことを何度もほじくり返しているようにも見えるかもしれませんが、本当に芯を食った議論では、繰り返すほどに問題点が鮮明になってくるものです。

いずれにしても、参加者同士が激しく対立するケースでは、双方ともに振り上げた拳を下ろすことができずに、ファシリテーターの介入を待っているかもしれませんので、そのセンサーの感度はつねに高く保っておく必要があります。

意見がぶつかり合うこと自体は決して悪いことではありませんので、なおさら後味が悪くならないよう仕上げたいものです。

Q

揉めごとが嫌いなので、
なるべく平和的に話し合いたいのですが……。

A

あらかじめ
「意見は意見」と宣言して
お互いのリスペクトを促す。

冒頭の1分で趣旨説明 激しい衝突を回避する

誰しも険悪なムードのなかで話し合うよりも、心地よい緊張感のなかで話し合いがしたいもの。ところが、会議ではちょっとしたボタンのかけ違いや感情のすれ違いから、突然ヒートアップしてしまうことがあります。

私自身も番組内でたびたび経験していることですが、熱くなって議論する2人のあいだで立ち回るのは、非常にエネルギーを消耗するものです。

なかにはどちらの意見にも理があり、口調は穏やかではなくても聞くに値する議論もありますが、感情的なやり取りはたいてい気持ちのいいものではありません。

とりわけ社内の会議であれば、感情のもつれはその後の会社生活にも差し障りますので、遺恨を残すようなものにはしたくないのが本音でしょう。

アベプラでも、「今日は紛糾しそうだな」というテーマが用意されている日は、冒頭の1分ほどを使って、あらかじめ趣旨をきちんと説明するところから始めていきます。

「本日はあえて賛成派と反対派、両方の立場の識者をゲストとしてお招きしています。どちらの意見もきちんと聞いたうえで、一緒に考えていきましょう」
「意見はあくまで意見です。意見が違うからといって個人攻撃は控えてください」
「意見が異なることは構いませんが、**ぜひお互いにリスペクトする気持ちを持って議論していければと思います**」

こう宣言しておくだけで、賛成派も反対派も、自分の思いに反する意見に触れ、受け止める心構えができます。また、仮に相手が過激な態度に出た場合にも、ファシリテーターが割って入ってくれることが期待できるので、自分も一緒になって反撃する必要はないという、参加者たちにとっての安心感にもつながります。

過剰に熱を帯びてさえいなければ、**異なる意見を述べ合うことは歓迎すべきこと**。

ファシリテーターの事前のひと言によって、参加者たちの最低限の冷静さを担保することができます。

こうした根回しもまた、ファシリテーターが役割をスムーズに遂行するための工夫の1つなのです。

Q

話があちこちに移ってしまい、
議論が迷子になってしまったら？

A

会議の目的に立ち返り、
論点を再提示する。

論点や目的からズレていれば ファシリテーターが軌道修正

質の高い会議は、予定調和なものではありません。あらかじめ設定された議題について、参加者それぞれが意見を出し合い、最終的に誰もが納得できる結論を導き出すのが理想形です。しかし、10人いれば10通りの考え方があり、議論が白熱すればするほど、結論を一本化するのは容易ではありません。

ではそんなとき、ファシリテーターはどう議論をリードすればいいのでしょうか？

私は日頃から番組進行において、いま議論すべき「階層」を意識しています。

たとえば、「こども家庭庁」や「デジタル庁」の設立について議論するときには、規模や位置付けといった「組織」についての議論と、幼保の一元化や貧困問題といった個々の「政策」についての議論があることを把握しておく必要があり、**それぞれの論点について、また枝分かれしていく全体の構図を頭に入れておかなくてはなりません。**

議論が深まるにつれ、「そもそも少子化問題とは」「デジタル化は本当に必要か？」などといった、別の問題点が浮かび上がってくることもあります。もちろんそれらも議論すべき課題ではありますが、そのときのメインテーマが「庁の設立」という「組織」についての議論であるなら、「政策」の議論や、枝分かれした議論に進んでしまわないよう、「いま議論すべき階層」をつねに意識することが大切です。

そしてもう1つ、会議においても番組においても、参加者から出た意見が「事実」なのか「意見」なのかを判断することも、とても重要になってきます。なぜなら、事実ではないことをもとに議論を進めてしまうと、答えも間違えてしまうからです。

「それも重要な課題ではありますが、まだデータとしては不確かな部分もあるため、まずはこれまでにわかっている事実をもとに話を進めていきましょう」

「話が少し脱線してしまいましたが、きょうはぜひとも○○社との取引を今後どうしていくかという点について、方向性を確認していきたいと思います」

こうした軌道修正は、人の話の腰を折ることにもなりかねないため、勇気がいるうえにタイミングも重要です。人の意見や思いを正しく汲み取ったうえで、やはり論点や目的からズレていると判断できたときに初めて、ファシリテーターが強権を発動して、軌道修正に着手することができます。

「いま議論すべき階層」をつねに意識することで、仮に思わぬ方向に議論が進んでも、自信を持って軌道修正することができるはずです。

Q

時間内にすべての議論を終えるコツは？

A

言いたいことがある人には先に言わせることで、その後の時間をコントロールしやすくなる。

話したい人の口封じは逆効果！
先に言わせて、ほかの人の発言時間を確保

決められた時間内にすべての議題を消化するのは、意外に難しいことです。会議が盛り上がればなおさらで、参加者たちが言いたいことをすべて言おうとすれば、タイムオーバーはまず避けられません。

一方で、言いたいことがたくさんある人の発言時間がそれなりに長くなってしまうのは、やむをえないことでもあります。

たとえばマンションの管理組合の会合で、建物の大規模改修を控え、その詳細を詰めなければならない場合。

スケジュールや予算、そしてどこをどのように改修するかという仕様について話し合わなければなりませんが、期間も金額も大きく、簡単には決められません。仕様にしても、住民それぞれで好みや希望は異なりますから、全戸の意見を取りまとめるの

はたいへんなことです。
ただでさえ決定しにくい議題を抱えているのに、おしゃべり好きな人たちによって議論がたびたび脱線してしまい、結局、ほとんど進捗のないまま翌月の会議に持ち越し――。これではあまりにも非効率的です。

そこで、話し合うべき議題をあらかじめ整理し、論点を明確にしながら進行できるファシリテーターが必要になるわけですが、いかにして一部のおしゃべり好きの人の発言を適度に抑えていき、ほかの参加者たちの発言機会を確保していくのかが課題となります。

ここは**逆転の発想**です。

しゃべりたい人の口を最初から封じるのは、じつは得策ではありません。かえって不満を溜め込み、会話の隙間を見つけるたびに「ああでもない」「こうでもない」と口を挟んでくることになるでしょう。
そこで、逆に早い段階でひとしきりしゃべってもらったほうが、その後の進行が楽になります。

「では○○さん、今回の改修について、考えていることを教えていただけますか」

そう言って時間を与えれば、喜んで話し始めます。話がループしだしたり、脱線し始めたら、「なるほど〜、一方で予算についてはどうお考えですか」などと、無駄なく意見を聞き取っていきます。そして、聞くべきことを網羅できたと思ったら、「わかりました。ありがとうございます」と引き取れば、ひとまず本人に満足してもらえるはずです。

その後も他人の意見に口を挟もうとする場合は、「○○さん、わかりました。のちほどご意見をうかがいますので、しばらくお待ちください」と制すれば、最初にそれなりの発言時間を確保してもらえているので、引き下がってくれるはずです。また、その人にとって瞬間的に思いついたことを述べるのではなく、いったん考えを整理する時間にもなります。

それでも割って入ろうとする場合は、「○○さんのご意見は先ほどうかがいましたので、ほかの方のご意見もうかがっていきます。時間も限られていますので、ご理解ください」などと発言を制し、それでもなお続く場合は、「○○さん、マナー違反です」とピシャリと言わなければ、会議の秩序は保てません。

そして、参加者たちの意見をきちんと拾えたところで、「○○さん、お待たせいたしました。ここまででおっしゃりたいことがあれば、お聞かせください」と水を向ければ、言いたいことを整理した形で話してくれるはずです。

発言時間をきちんと確保していることが伝われば、「そろそろ時間が迫ってきたので、結論を出していきましょう」と、幕引きに向けての誘導もしやすくなるはずです。

全体の時間を意識しながら、どのくらいの配分で、参加者たちに意見を聞いていくのか、声の大きい人、そうでない人の様子を見ながら、会議をコントロールしていくこともファシリテーションの重要な要素の1つです。

第 3 章

ファシリテーションは準備が9割

会議やミーティングの成功は、事前準備にかかっていると言っても過言ではありません。
ここでは会議やミーティングの前に
最低限やっておきたいことについて、
ポイントと心構えをご紹介します。

準備すべき要素を書き出し、優先度の高いものから着手する。

やみくもに作業を始めない
残された時間から逆算して要素を洗い出す

もしも突然、「よし。来週の会議の進行は、キミに任せてみよう」と上司にぽんと肩を叩かれたら、みなさんはどう答えますか？

思いがけず降って湧いた大役に張り切る強心臓な人もいるかもしれませんが、それが初めてのファシリテーターであれば、たいていの人は不安と緊張で眠れなくなってしまうかもしれません。

トチらずにきちんとしゃべれるだろうか。
場面に応じた適切な進行ができるだろうか。
時間内にアジェンダをすべて消化できるだろうか。

——考えれば考えるほど、ミスなく乗り越えるのは至難の業に思えてきます。

実際、重要な会議や大勢の人が参加する会議の仕切り役を任されるのは、名誉なことではありますがたいへんなことです。結婚式のスピーチのように、あらかじめ暗記したり、メモを見ながらこなせることではありませんから、よほど慣れている人でなければ、最初から満足のいくパフォーマンスを発揮するのは困難でしょう。

だからこそ、事前の準備が大切です。

どういうメンバーが参加するのか。議論するテーマは何か。その会議に求められる成果は何か。そして、何より会議までにどれくらいの準備の時間を確保できるのかを把握することから始まります。

ここで、やみくもに作業を始めてはいけません。本番までに準備すべき要素をすべて書き出したうえで、優先順位の高いことから順に始めていきます。

とくに優先度が高いのは、会議のキモになる要素の情報収集や、会議の中心人物や初参加者に関する情報で、こうした**絶対に外せない要素から順に着手していくこと**

で、不安が少しずつやわらいでいき、会議のイメージができあがっていきます。**会議の出来はそうした事前準備によって9割方決まってしまうもの**と心得て、与えられた時間のなかで最善を尽くすことが成功につながります。

これは番組の進行も同様です。

私はアベプラの生放送に臨む際、まずは想定台本や資料を見ながら、その日のテーマと布陣を確認します。

レギュラー出演者はどのようなメンバーか。
ゲストは何人いて、どういう立場の人なのか。
また、そのゲストは何度目の出演なのか。

とくにゲストについては関係性ができていないことが多いため、優先的に下調べしていきます。

インターネットなどで人となりや経歴を確認し、本を出している人ならすぐに手元に取り寄せます。さらにユーチューブなどに過去の番組出演動画が上がっていれば、それも確認します。

加えて、ＳＮＳやブログを利用していればしめたもので、近況を知るのにこれほど便利なツールはありません。ダイレクトメッセージなどを使って、あらかじめご挨拶しておくこともあります。

つまるところ、会議でも番組でも、**不安になる原因は情報が不足しているから**で、「彼を知り己を知れば百戦殆《あや》うからず」なのです。

面識のない人たちがずらりと顔をそろえる場を仕切るのは、どうにも気持ちが落ち着かないものです。逆に、よく知った上司や同僚ばかりの会議であれば、自然に緊張も解けていくでしょう。

何より参加者について事前にリサーチし、近況を押さえておけば、つかみのトークに困りません。

「○○さん、先日のゴルフコンペではかなり好調だったようですね」
「○○さん、体調を崩されていたようですが、くれぐれも無理をしないでくださいね」
「○○さん、お子さんがお生まれになったそうですね。おめでとうございます！」

会議が始まる前に雑談に花を咲かせられれば、お互いにリラックスして議論に臨むことができるはず。

初対面の人が多い会議なら、始まる前にひと言、「本日、進行を担当させていただきます。不慣れなもので不手際も多いと思いますがご容赦ください」と伝えておくだけでも、少しは気が楽になるのではないでしょうか。

こうしたロビイングも事前準備の1つなのです。

ファシリテーターの
生命線は情報収集!
速読や倍速を
駆使して効率アップ。

自分に合った方法で疑問点を洗い出し、本番につなげる

どんなにテーマにマッチしたすばらしいゲストをブッキングできたとしても、ファシリテーターの情報や知識が足りなければ、議論は深まらず、宝の持ち腐れになってしまいます。

そこで、**その日のテーマについて、できる限りの事前準備をして本番に臨む必要**があります。

たとえばアベプラ出演に臨む私の場合、翌日のテーマと出演者が決まった段階で、資料集めを始めます。

テーマについて報道資料や参考書籍をかき集め、合わせてユーチューブ上に上がっている動画もチェック。

出演ゲストについても、ネットニュースや本人のＳＮＳからパーソナルな情報を頭

に入れ、著書を出している人ならそれらにも目を通しておくのは前項でもお伝えした通りです。

ただし、アベプラは月~金曜日の帯番組ですから、平日はほぼ毎日こうした準備に追われることになります。そのため書籍にしても読める分量には限りがありますし、テレビの録画やユーチューブにおいても同様です。

そこで書籍はできる限り速読を心がけ、動画も基本的には1・5倍速以上の速度で再生するようにしています。

何を目的に情報収集しているのかという視点を忘れずに

このあたりの要領には個人差がありますし、慣れによってスピードも変わるでしょう。ここで大切なのは、**優先度の高いものから着手していくこと**と、**知っておくべき**

情報や知識の最低ラインを意識すること、そして、**工夫して効率化していくこと**です。

たとえばゲストの著書が10冊以上もあるような場合、すべてに目を通すのは無理があります。最新作と代表作を押さえ、読みこぼしたものについてはパラパラめくったり、ネット上のレビューや感想などで情報を補完するのが現実的です。

動画も同様で、ひとまず最新のものや再生回数の多い代表作から順にチェックしていき、途中で必要性の高い関連動画があれば、時間の許すかぎりそちらにも目を通します。あるいはポッドキャストやラジオ、Voicyなど、移動中に耳だけで聞けるコンテンツも重宝しています。

いずれにしても、**何を目的に情報収集しているのかという視点を忘れないことが重要**で、テーマへの疑問点を整理できれば、本番では視聴者の立場に立って、質問を重ねていくことができます。

しかし、こうして一夜漬けのように関連情報を頭に叩き込むだけでは付け焼き刃にすぎず、議論が深まった際にはとても太刀打ちできません。

本当に物を言うのは日頃のルーティンで、**日常的に世間の情報に広く触れ、そし**

て、そのことについてじっくりと考えることこそ大切だと感じています。

情報収集と考える習慣を、日常のルーティンに落とし込む

私の場合、報道番組を担当している立場上、テレビや新聞、ネットなどでニュースをチェックしていますが、まずは、テレビ朝日やＮＨＫなどが報じるストレートニュースに重点を起き、ある事象に対してメディア側の視点が極力盛り込まれていない情報を重視しています。なぜなら、その**ニュースに対する第一印象は、できるだけ自分の主観に任せたい**からです。

こうした日々の情報収集には、人それぞれ生活スタイルに合った方法があるはずです。

重要なのは**情報収集を「がんばる」のではなく、自然なルーティンに落とし込んで**

習慣化していくことが、アンテナを高めておくコツではないでしょうか。

誰しも右も左もわからない状況ではオドオドしてしまうもの。その意味で、**蓄えた情報量はファシリテーターにとって自信の源**と言えるでしょう。

自分なりにやれることはやったという思いが、堂々としたファシリテーションにつながります。

論点整理に欠かせない要約のコツは、「見出し」を考えるイメージ。

すべてを頭に入れておこうとするのはむしろ混乱のもと

実際の会議で、アジェンダに沿って議論を深めていくには論点や狙いを明確にしておかなくてはならず、そのためにも事前の準備は欠かせません。

あらかじめその日のテーマに関する情報収集にあたる際、ただ単に集めるだけでは頭がパンパンの状態になり、人の意見を聞いても、何が重要なのかや、その話が論点からズレているのかなどを判断することができません。

そこで、**膨大な資料や情報のなかから、大切なものを抽出して整理する「要約」が必要**になります。ファシリテーターがこれをおろそかにすると、複数の人の意見を的確にまとめることができず、議論が迷走してしまいます。

この点については私の場合、ツイッターでその日の番組の告知を考えることが、とても役立っています。今日はどのようなテーマが設定されていて、それについて何を話し合うのかを140字にまとめる作業は、まさに論点整理そのもの。コツはテーマごとの「見出し」を考えるイメージです。

こうした要約力は、日頃から意識的に鍛えることで、その精度は上がっていきます。事前にその日のアジェンダを要約して箇条書きにする習慣をつけるだけでも、会議の進め方は格段に変わるはずです。

ポイントは、いったん情報を集めたあとは、枝葉をバッサリ切り落とし、幹（議論の核）となる本当に大切な最低限の要素だけを残し、頭がスッキリした状態で本番に臨むことです。せっかく集めた情報なので、あれもこれも覚えておきたいとなりがちですが、**詰め込みすぎると何が重要なのかが自分でもわからなくなり、ファシリテーションの迷いや混乱につながるので注意が必要**です。すべてを頭に入れようとしなくても、集めた情報に一度でも目を通しておくことで、「そんなこともあったな」と会議の場で意味を持ってくるはずですので、そこは自信を持って臨んでください。

こうして論点を頭に叩き込んだうえで、次に、本番で議論を整理しながら深めていく、発言者への問いかけの言葉を用意しておきましょう。

具体的には、次のような言葉で「言い換え」を促していきます。

「たとえばどのようなことですか？」
「具体的に言うと？」
「なぜそう思うのですか？」
「ほかにはどんなことが挙げられますか？」

こうした合いの手を挟むことで、相手の発言はより具体的になり、思いの背景を知ることができ、その場にいる全員が共有しやすくなります。

ファシリテーションの理想は、できる限りの準備で論点や狙いを明確にして、本番では頭をスッキリさせた状態で、参加者たちの声に耳を傾けるイメージです。

資料や情報を集めるだけでは混乱のもとです。**会議までの持ち時間を逆算して、最後に頭を整理する時間をきちんと確保することが成功の秘訣**です。

ファシリテーターは
声が命。
会議の前に
〝声を出す〟練習を。

会議の本番が
その日の第一声にならないように

アナウンサーには発声練習がつきもので、本番前にはお腹から大きな声を出して、喉を開く準備運動をします。

会議のファシリテーターはそこまでする必要はありませんが、それでも発声の重要性を認識しておくことは大切です。

なぜなら、**声の出し方そのものが、場のムードを作る強いツールになる**からです。

たとえば議論が白熱して、複数の出演者がばらばらに物を言い始めて収拾がつかなくなってしまった場合。

ある程度タイミングを見計らいながら、

「――は~い、みなさん、わかりました~!」

「――さあ、どうでしょうか〜、このあたりでまとめに入りましょうか！」
「――は〜い、そろそろ残り時間が限られてきました！　よろしいでしょうか〜！」

などと参加者たちの声に自分の声をかぶせていくことで、ファシリテーターに注目を戻すことができます。

このときに大切なのは、何より**お腹から大きな声を出すこと**です。参加者たちの声に負けていては、その場を収拾することができません。

また、「やめてください！」のような強い言葉でピシャリと言うと角が立ちますし、すぐには混乱は収まりません。そこで、その場にいる人のなかでいちばん大きな声を、ゆったり大らかにお腹から出していくのです。会場にチャイムやブザーが鳴り響くようなイメージで声を発することで、「いったんここまでおしまいです」と理解してもらうことができます。

その意味では、こうした場面では、発している言葉にはそれほど意味はなく、**声の**

大きさやトーンにこそ場を支配する力があることを知っておきましょう。

そのために気をつけていただきたいのは、**会議の本番がその日の第一声とならないようにすること**です。

人は誰でも寝起きには声が通らず、万全の状態になるには起床から数時間を要します。これはアイドリングに時間のかかる楽器のようなものとイメージしてもらうのがいいでしょう。

しかし現実問題として、独り暮らしの人であれば、会社へ行くまで（あるいはオンラインでつながるまで）誰とも話をしないことのほうが多いでしょう。これでは声の準備を整えることができません。

会議が朝一番に設定されている場合などはとくに注意が必要で、かすれ気味で通りの悪い声でファシリテートしても、うまく場を仕切ることはできません。話しているうちに少しずつ声が出るようになっていくかもしれませんが、**会議のムードはその日のファシリテーターの第一声に引きずられがちなので注意が必要**です。

なんとなくおとなしめにスタートを切った会議は、最後までいまひとつ活気の足りない、不十分な議論に終始してしまうことが多いものです。

だからこそ、アナウンサーは日頃から発声練習を怠らないわけで、漫才師の方が「はい、どうも〜！」と大きな声を出しながら登場するのは、じつはとても理に適ったルーティンと言えます。

ファシリテーターは声が命なのです。

声の出し方を意識することで、ファシリテーションの技術は上がる

大切なのは、会議のファシリテーションを任されている日は、スタートの時刻に照準を合わせて、できるだけ声の調子を整えておくことです。

そこで意外と役に立つのが、**雑談と打ち合わせ**です。

少し早めに出社して、同僚と積極的に雑談することで、その日の声の調子がわかり

ます。あえてゆったり大らかに話しながら、声の調子を整えていくのです。

声が出しにくければ、いろんな人に話しかけて意識的に口数を増やすのもいいでしょう。

また、本番前に軽く打ち合わせをすれば、リハーサルを兼ねた形で、会議で必要な内容をスムーズに言えるかどうかの確認にもなります。声出しは楽器の音出しのイメージですが、これが本番に向けた打ち合わせであれば、演奏する内容（話している内容）も本番に沿ったものになり、いい音を出せているのかとともに、上手に演奏できているのかの確認もできて、一石二鳥になるのでおすすめです。

その日の第一声は、プロのアナウンサーであってもキレが悪くて当たり前。これを打開するには、本番前にとにかく声を出し、言葉を発して調整していくしかありません。

ファシリテーターの武器は、何より声です。

声の大きさやトーン、テンポで、場に緊張感を持たせて引き締めることもできれば、リラックスしたムードを演出することもできます。

話す内容だけではなく、声の出し方や話し方のバリエーションを強く意識することで、ファシリテーションの技術は格段に向上していくことでしょう。

第 4 章

即使える！キラーフレーズ集

ファシリテーターが会議の進行で
困ったときに役立つのが、
「場を仕切るひと言」です。
ここでは普段、私が番組でよく使っている
“キラーフレーズ”たちをご紹介します。

!

参加者同士で激しい言い合いが
始まってしまったとき

「いったん、こちらで
引き取らせて
いただきます」

〝遮《さえぎ》る〟のではなく〝引き取る〟のがコツ

会議の場では、ときにメンバー同士の主張が激しくぶつかり合うことがあります。

理想は、参加するすべての人が自分の意見を言うことができ、最終的に気づきと学びを得て円満に終わりを迎えること。

そこでファシリテーターとしては、活発な議論を促しながらも、参加者のみなさんに、いかに嫌な思いをさせることなく会議を進行できるかが腕の見せどころです。

アベプラでも、出演者同士が激しく議論するシーンがしばしば見られます。私たちの場合はときにはそれ自体がエンターテインメントの面もあり、あえてしばらく静観することもありますが、これ以上続いたらしこりが残ると判断したら、速やかにストップをかけねばなりません。

しかし、感情もあらわに激しく言い合う人々のあいだに割って入るのは容易なことではなく、中途半端に「まあまあ」とか、「そのあたりで……」などと口を挟むと、かえって火に油を注ぐことにもなりかねません。

そこで使えるのが、**「わかりました○○さん。この話、いったんこちらで引き取らせていただきます」**というフレーズ。

ここで大切なのは、**意見を強制終了させるのではなく、あくまで「引き取る」スタンスを守ること**です。

たとえばこんな言葉を続けてみましょう。

「○○さんが言いたいのはつまりこういうことですよね、わかります。それに対して××さんはこう主張されている。たしかにどちらの立場もありそうですね」

「いずれのご意見もたいへん参考になります。一方で、○○さん（第三者）は、この件についてはどうお考えでしょうか」

「どちらの意見もよく理解できますから、この点をテーマにして、またあらためて議論しましょう」

ポイントは、激しく主張をぶつけ合った人たちの顔をつぶさないこと。

自分の意見を否定されたと思わせず、これが有意義な議論のきっかけであるというムードを作れれば、適度な熱量を保ったまま、スムーズに次の議論に移行することができるはずです。

!

脱線した話題を本題に戻したいとき

「いまのお話のなかにもありましたが……」

本題に関連する言葉を逃さずに拾って軌道修正を

進行役であるファシリテーターは、**アジェンダの消化を最優先に考えながらも、同時に誰もが心地よく参加できる雰囲気も作っていかなければなりません。**

しかし、おしゃべり好きな上司がイニシアチブを握っている場合など、話が微妙にズレてしまっていても、気持ちよくしゃべっている本人を前に、なかなか口を挟めない……ということもあるでしょう。

その場合、できるだけ上司の機嫌を損ねることなく、自然な形で話を本題に戻すテクニックが求められます。

そこで私がおすすめしたいのは、**雑談のなかから本題への糸口を見出すやり方**です。

たとえば、社内の感染症対策について議論している最中に、おしゃべり好きな上司が「ステイホームを強いられて、飲みにも行けやしない」などとぼやき始めた場合。

同じ思いを抱えている人は多いでしょうから、「まったくですね、いつまで我慢すればいいのでしょうか」と、〝賛同者〟がちらほらと現れ、ひとしきり雑談が始まるのはいかにもありがちな展開です。

そこで、上司の発言のなかから本題に関連するキーワードを拾い、すかさず話題を引き戻しましょう。

「いま○○さんがおっしゃったように、ステイホームは意外と社員の負担になっています。そこでリモートワーク手当を新設するアイデアがあがっていますが、この件についてはどうお考えでしょうか」

「やはりみなさん、我慢続きでストレスを抱えていますよね。せめて、リモート会議の際にフリートークの時間を設けてはいかがでしょうか」

単語1つでも構いません。**本題に引き戻すことのできる言葉さえ見つけ出せば、話の腰を折ることなく、自然に議論を戻すことができる**はずです。

これは、実際に私がアベプラでもよく用いる手法で、「いまの○○さんの話にもありましたが……」と軌道修正することで、場の雰囲気が壊れることはありません。むしろ、「〇〇さん」と名前を出すことで、その発言にはきちんと意味があったということが暗に伝わって、その後も機嫌よくディスカッションに参加してもらえるはずです。

限られた時間内に多くのアジェンダを消化しなければならないときに備え、ぜひこのフレーズを覚えておいてください。

議論の矛先が自分に向いてしまった場合

**「私のなかでも
まだ充分には
考えがまとまって
いないのですが……」**

中立の立場を守りながら議論を活性化させる

ファシリテーターはあくまでその場を仕切る役どころではありますが、それでも自分の意見を口にする機会がないわけではありません。

アベプラでもときおり、「逆に平石さんはどう思っているんですか？」と、論客のほうから水を向けられることがあります。安全圏にいると思って油断をしていると、思わぬ流れ弾が飛んでくるパターンです。

進行役は、その場にいるさまざまな人に意見を求め、流れに沿って議題を消化していけばそれでいいと考えていたら、こうした不意打ちに遭ってしどろもどろになってしまうこともあるでしょう。

そんなとき、もしも突きつけられた問いに対し、明確な意見や主張を持っているのであれば、「私はじつはこう考えているんです」と明言すればいいでしょう。

それが相手と立場を異にする場合でも、**ファシリテーターが意見を戦わせてはいけないわけではありません。**

しかし問題なのは、明確な主張がない場合です。

そこで私が用いるのは、次のような〝前置き〟です。

「私のなかでもまだ充分には考えがまとまっていないのですが――」

「現時点で私がもっとも関心を持っているのは――」

「みなさんのご意見をうかがって、少しずつこう考えるようになってきましたが――」

こうしたフレーズを枕詞にして、その時点での最低限の考えを述べたあと、「これについてぜひみなさんのご意見を聞かせてください」と議論を促すのです。

ここで根底に匂わせているのは、「みなさんの意見によって私も学ばせていただいている最中です」というニュアンス。

つまり、無責任に議論の当事者から脱け出そうとするのではなく、**その場に集まったメンバーから広く意見を募り、奥行きのある議論を展開したいとアピールする狙い**があります。反射的に実のない主張を口にしたところで、建設的な議論にはつながりません。

ちなみにこうした前置きを添えておけば、議論の末に自分の考えががらりと変わるようなことがあっても、前言を撤回しやすいでしょう。それは他人の意見を柔軟に取り入れるための下準備でもあります。

議論は、いまはまだそこにない結論を求めて行うもの。

だからこそなおさら、「私のなかでもまだ充分には考えがまとまっていないのですが――」と自分に言い聞かせてから臨むことで、さまざまな意見に触れる心構えもできます。

会議の残り時間が気になり始めたら

「残り10分です。そろそろまとめに入らせていただきます」

残り時間を意識させることで参加者の集中力も高まる

会議にはあらかじめ定められた時間があります。終了時刻が近づいているのに結論が出ていなかったり、話がまとまっていない場合でも、時間をオーバーして議論を続けるわけにはいきません。

タイムマネジメントをきっちりこなすことも、ファシリテーターの大切な仕事です。その意味で、冒頭で「本日は○○の件について、何時までお時間をいただきたいと思います」と、その日の会議にかけられる時間を明確に示しておくのがいいでしょう。

これがテレビ番組であればなおさらで、終了時刻が近づいているのに議論が白熱し、一向に収まる気配のない場合でも、なんらかの着地点を見出し、そこへ向けて導いていかなくてはなりません。

ここで言うところの着地点とは、出演者たちが自分の言いたいことをきちんと言えたか、そして最終的なまとめのコメントに到達できるかです。

これは会議においても同様で、**参加者たちが自分の意見を言えているのか、予定していたアジェンダを消化できているのか**、ファシリテーターは残り時間を意識しながら進行していかなければなりません。

たとえば残り時間が10分に迫っているのに、議論の収拾がつきそうもない状況なら、まずはタイムアップが近づいていることを参加者に伝えましょう。

「残り時間があと10分となりましたが、最後にもう一巡、みなさんのお考えをお聞きしたいと思います」

「そろそろまとめに入らせていただきたいと思いますが、○○さんはこの件についてどうお考えですか」

ポイントは議論の腰を折ることなく残り時間を意識してもらうことで、これによって、参加者たちの集中力がぐっと高まります。そして、まだ意見を言い足りなさそうな人には、このタイミングで積極的にコメントを求めていきます。

また、議論が一向にまとまらず、決めなければならないことが決まりそうもないようなら、残り時間が少なくなった時点で、いったんそこまでに挙がった意見や論点を整理するのもいいでしょう。「ここまでのご意見をまとめますと――」とめぼしいコメントをピックアップしておさらいするだけで要点が明確になり、参加者たちも結論を求める方向に足並みがそろうはずです。

しかしその反面、充分な議論がなされないまま重要な決定をするのはかえってマイナスで、**結論を持ち越すのは必ずしも悪いことではありません。**参加者全員がしっかりと意見を言い合うことができ、そのうえでなお議論が足りていないのであれば、次回の会議の材料を洗い出すために残り時間を費やす選択肢があることもお伝えしておきます。

本来の目的とは異なる方向に
議題が盛り上がったとき

「これはぜひ、
あらためて
時間を設けて
話し合いたい
テーマですね」

熱量を損なうことなく本題に戻すコツとは

その場にいる参加者たちが活発に意見を出し合う熱量の高い会議では、議論の内容がファシリテーターのコントロールを離れ、意図せぬ方向に進んでしまうことがあります。

余談から生まれるアイデアもありますから、脱線は必ずしも悪いことではありません。しかし、残り時間が迫っていたり、明らかに本題とはかけ離れた方向に話が進んでいってしまった場合には、やはり、**軌道修正をするのもファシリテーターの大切な役割**です。

そんなときは、**別の機会を設けることを提案するのが、議論をスムーズに前へ進めるコツ**です。

たとえば番組内で、国のデジタル化をどう進めるかについて議論しているときに、ある出演者の「そもそもスマホを持っていない高齢者やＷｉ‐Ｆｉ環境のない家庭はどうすればいいのか」という発言をきっかけに激論が始まってしまった場合。それはそれで有意義なテーマであることは間違いありませんから、むやみに話を止めるのも憚《はばか》られます。きっと視聴者にとってはそちらもまた関心の高い話題でしょう。

しかし、番組の残り時間を踏まえれば、そろそろ本題に戻さなければならない。

そこで私は、次のようなフレーズを用いて議論をコントロールしています。

「これはぜひ、あらためて時間を設けて話し合いたいテーマですね」
「たしかにこれもきちんと議論の機会を用意すべきテーマかもしれませんね」
「それについてはぜひ次週以降にメインテーマとして取り上げましょう」

単なる余談として片づけるのではなく、〝余談で済ませるには惜しい〟議論であることを強調するのがポイントです。こうした言葉のあとに、「ひとまずここでは本題の〇〇について、そろそろまとめていきたいと思いますが……」とつなげれば、当事者もそれほど気分を害することはないでしょう。むしろ、次につながる重要な論点を提示できたと、満足感すらおぼえるかもしれません。

いささか無責任に聞こえるかもしれませんが、実際に次の機会が設けられるかどうかは、ここでは問題ではありません。

ファシリテーターがその論点の重要性に気づいている姿勢を見せることで、論客は安心していったん矛を収めることができるもの。案外、それで気が済んでしまう人も少なくはないでしょう。

結果的に**必要な議論に時間を割くことができ、設定されていたアジェンダを消化することができるなら、その会議は成功**と言えるはずです。

論点を上手に語れない人に助け船を出すとき

「それはAかBで言うなら、どちらでしょうか？」

質問から始まるかけ合いで論点をひもといていく

会議に参加する人のなかには、口下手でも立場上、人より多く発言しなければならない人もいれば、その案件の主担当であるがゆえに、苦手なプレゼンをしている人もいるでしょう。

そこでファシリテーターは、何を言いたいのかよくわからない人の意見をうまく整理してあげることで、議論を効率的に進める工夫をしなければなりません。

話し慣れていない人の特徴の1つに、結論に到達するまでの言葉が多すぎて、聞いている人にとって理解しにくいメッセージになってしまうことがあります。

そんなときは、**話をわかりやすくするために助け船を出してあげましょう。**

理想は本人が長々と話したあとに、論点を整理して再提示してあげることで、「つまり、○○さんがおっしゃっているのはこういうことですよね」と、さりげなくまとめるだけでも、ほかの参加者の理解も深まります。
あるいは、ファシリテーター自身も要領を得られていない場合には、質問形式で主張を明確にしていくのも有効です。
「それはたとえば、AかBで言えばどちらですか？」と話を整理して2つに絞り、質問から始まるかけ合いによって本人の意見を鮮明にする手法です。

そのためにはもちろん、ファシリテーター自身が意見の本質をしっかり理解していなければなりません。必要であれば、そのために休憩時間などを使って、本人にクローズドな質問をして内容を補足してもらいましょう。

ただし、「AかBで言えばどちらですか？」と二択をつきつける聞き方は、場合によっては厳しく相手を問い詰めているような印象を周囲に与えてしまいます。それによって、ただでさえ口下手な相手がいっそう萎縮してしまうようでは本末転倒なので注意が必要です。

最初のうちはできるだけ気長に、本人の言葉に耳を傾けることも大切です。こちらがじっくり話を聞く姿勢を見せることで安心感が生まれ、落ち着いて話せるようになる人も多いはずです。

目的はあくまで、本人に代わって意見をわかりやすく整理してあげること。場の雰囲気に注意しながら、優しく導いていきましょう。

専門性の高い話題が続き、
参加者の一部が置いてけぼりになっているとき

「それはつまり、
こういう解釈で
合っていますか？」

すべての人を参加させるために ときにあえて議論のレベルダウンを

議論するテーマによっては、発言できるだけの知識を持つ人とそうでない人に分かれてしまうケースも見られます。

専門性の高い話題になるととくに、発言者が一部の人に偏ってしまい、会議としての機能が低下してしまうこともあります。**会議は本来、参加する人それぞれが自分の意見を出し合えるのが理想**です。

たとえばある日のアベプラでは、仮想通貨について議論をするなかで、「マイニング」という用語が登場しました。

マイニングとは和訳すれば「採掘」の意で、仮想通貨の世界では取引承認に必要な計算の処理に自分のコンピューターの演算能力を提供することで、新規発行された仮想通貨を報酬として得ることを指します。……と、専門的な用語ですが、仮想通貨はアベプラで何度も取り上げているテーマなので、ファシリテーターとしては知っておかねばならない知識の1つです。

しかし、初めてこのテーマに触れるゲストにとっては、そうではありません。仮想通貨取引についてある程度の知識は持っていても、あまり踏み込んだ議論になると参加できなくなってしまうかもしれません。これは視聴者も同じでしょう。

そこで、ファシリテーターは議論を少し噛み砕いて、置いてけぼりの参加者たちを土俵の上に乗せてあげます。

ファシリテーター自身は、本当はその意味を理解していても、あえて「いまの点について、もう少し補足をお願いできますか」「それはつまり、こういう解釈で合っていますか」と口を挟むことで、その場にいるメンバーの理解も深まるでしょう。

こうして言葉の意味やその世界におけるセオリーが理解できれば、ほかの参加者も「では、こういう場合はどうするんですか?」と、新たな疑問を提起しやすくなるはずです。

会議の場を、専門知識を持つ一部の人たちだけのものにしてはいけません。

38ページでも述べているように、議論は大なわとびのようなものですから、その輪の中にできるだけ多くの人が入りやすい状況を整えることも、ファシリテーターの大切な役割の1つです。

参加者の本音を引き出したいとき

「ここは議事録には掲載しませんので」

〝口は災いの元〟だからこそ気兼ねのない発言の場に

たとえば社内のパワハラ問題や、経営難の根本的な原因について議論する場合など、テーマがネガティブであるほど、人の口は重たくなるものです。

もし、「誰それのハラスメント体質は目に余るものがあります」などとはっきり言おうものなら、どうしても組織のなかで角が立ちますし、「○○事業部の累積赤字をどうにかすべきです」などと当該部署の責任者の前で言うのは、やはり憚られるものです。

つまりは本心を言えば誰かを傷つけてしまったり、軋轢《あつれき》を生んだりすることがわかっているから、〝余計なことを言うのは控えよう〟という心理が働くわけです。

これは人として当然の気遣いではあるものの、**会議においては議論を停滞させる一因になる**のもまた事実です。

参加者がそれぞれの本音を言わなければ実態がつかめなかったり、本質的な問題解決に至らなかったりする場合、ファシリテーターはどうにかしてメンバーが話しやすくなるよう、お膳立てしなければなりません。

そこでおすすめしたいのが、**「ここは議事録には掲載しませんので、ぜひ忌憚《きたん》のないご意見をください」と、前もって宣言するやり方**です。

ただでさえ言いにくい意見なのに、書記担当が横で発言をつぶさに入力していたり、録音・録画されているような場では、なおさら言葉をつむぎにくくなるのは当然のこと。だからこそ、記録に残さないことを明言したうえで、自由に発言できる場であることを強調するのです。

「これについては、ここだけの話にしましょう」
「本日の議論については、他言無用でお願いします」
「みなさん、口が堅い方ばかりですのでご安心ください」

そんな前口上で場をほぐしてあげれば、いつもより安心して議論に入ることができるはず。

ただし、会議である以上、まったく議事録に残さないのも問題です。どこからどこまでがナイショ話で、どこからが記録する話なのか、メリハリをつけなければなりません。

そこで、ある程度の本心を引き出したところで、「それでは、ここからは議事録に書ける結論をみなさんで考えたいと思います」などと言って、明確に線引きするのがいいでしょう。

議事録を解禁しても、本音を言い合ったあとであれば、引き続き活気のある議論ができるのではないでしょうか。

もちろん、いくら議事録に載せないと言っても、大勢の前で話すわけですから、完全に秘匿されるわけではありません。それは参加者も充分に理解していることです。

ファシリテーターの「ここは議事録には掲載しませんので」というメッセージは、その場にいる全員と共犯関係の構図を生み出すことで〝内輪話〟の体とする、高度なテクニックなのです。

!

劣勢な一方に加勢したいとき

「○○さんが指摘する○○の部分にも一理あると思いますが、この点についてはいかがでしょう」

健全な議論のベースはバランスを取ること

最近では「論破」という言葉が流行のように扱われていますが、意見と意見を真正面から戦わせるのは、それだけで1つのエンターテインメントになりえるほど、人の関心を引くものです。

それでも誹謗《ひぼう》中傷や個人攻撃のような議論のやり方は避けなければならないことは、本書でも再三述べてきたことです。

とくに会議では、**個人が個人を言い負かすことに意味はなく、いわば両論を提示したうえで適切に選択していくのが理想**です。

たとえば、相手を論破しようとまくしたてる人に対して、「わかりました。しかし○○さんの○○の部分の指摘にも一理あると思うのですが、これについてはいかがですか？」と、やや劣勢の相手の側に立ったカットインでバランスを取ることは、私自身も番組のなかでよく用いる手法です。

あるいは、相手の勢いに飲まれて、一方があまり意見を言わせてもらえない状況に陥っているようなら、「これは興味深い議論ですから、ぜひ○○さんのご意見ももう少し聞かせてください」と、話す時間を確保してあげるのもいいでしょう。

結果的にどちらかの意見が採用されるにしても、対立する両者が言いたいことを言い合えるのが健全な議論のあり方です。

2対1の構図にならないよう、加勢ではなくあくまでサポートに

ただし、ここで気をつけなければいけないのは、ファシリテーターが加勢することによって、1対1の構図が2対1になってしまうこと。これではかえってバランスを乱してしまい、余計に相手をヒートアップさせてしまう可能性もあります。

つまり、**どちらの意見も否定せず、それでいて劣勢のほうを少しサポートする**とい

う、難しいさじ加減が求められるわけですが、ポイントは**「対等に意見を言わせてあげること」**です。

その意味では、**加勢ではなくあくまでサポートである**という意識を持って、劣勢の側に寄り添うつもりであいだに入っていきましょう。

!

身も蓋もない意見で
議論がストップしそうなとき

「しかし、世の中には
こういう立場の方も
いらっしゃいます」

視点の置き方を変えれば議論は続行できるはず

アベプラでは、東日本大震災の被災地復興について議論した際、こんなことがありました。

番組の冒頭で、故郷にどうにか活気を取り戻したいと尽力する人々の様子を紹介し、「一刻も早く地域を復興させるためにどのような手段が有効か」をテーマに議論が始まりました。

ところが、ある論客からこんな意見が飛び出したのです。

「復興する必要があるんでしょうか。定期的に大地震が起きるわけだから、復興してもまた同じことを繰り返すだけなのでは？」

この意見には思わず絶句するゲストの方も見られました。

確かに震災復興そのものを考えるうえでは、大きなテーマの1つかもしれません。

しかしそれはその日に設定したテーマではなく、当事者を前にして冷たくも感じる意見で放置しておくわけにはいきません。

早めの軌道修正で、本来のテーマに戻す

このとき私は、こんな言葉で議論の続行を促していきました。

「たしかに○○さんのおっしゃることは間違いではないのかもしれません。しかし、現実として被災地には、先祖代々のふるさとを守りたいと切望する人が大勢いらっしゃるのも事実です。ここではそうした方々の立場に寄り添って議論していきたいと思います」

つまり、復興の是非に関する議論にすり替わりそうなところを、現地に復興を望む人がいる現実を持ち出して、早めの軌道修正を促したわけです。

こうして**視点の置き方をあらためて提示することで、身も蓋もない意見からはいったん離れて、本来のテーマに戻すことができます。**

なぜその議題が設定されたのか、なぜそのメンバーがそこに集まっているのかをあらためて意識することで、議論を本題に戻すことができるでしょう。

！

終了時間が迫っているのに、
議論の着地点がなかなか見えてこない場合

「最後にあらためて聞いてみましょう」

その日のめぼしい意見を手元でメモしておこう

会議が終盤に差しかかっているのに、一向に結論が見えず、ファシリテーターとしてどうまとめていいのかわからない。これも、ありがちな問題です。

議論の着地点が見えない状況にも、いくつかの理由があります。

もし、結論を出す材料が不足しているのであれば、第2章のテクニックを使い、少しでも議論を活性化させる努力をしましょう。

問題は、むしろ**多くの意見が出たがゆえに、その場をどう収めればいいのかわからなくなってしまった場合**です。

会議において、結論をまとめるために必要なのは、その日に挙がった意見や論点です。

そこで、**しかるべきタイミングで論点をわかりやすく整理してあげることが、ファ**

シリテーターの役割となります。

これは極端に言えば、その日、誰がどんな意見を言ったのかを手元のメモにまとめておき、それを読み上げるだけでも構いません。

そのうえで、「それでは、最後にあらためて聞いてみましょう。○○さんは本日挙がったこれらの意見についてどう思われますか？」と水を向ければ、振られた相手はおのずとその日の成果を意識したコメントを口にしてくれるはず。

残り時間に余裕があるのなら、「最後にみなさんお1人ずつ、あらためて意見を聞いていきましょう」と、一巡してもいいでしょう。

この場合、「最後に」と前置きしていることが重要で、いわば〝締めの言葉をお願いします〟という意味が込められています。

パーティーにおける締めのスピーチのようなもので、最後の意見であることを強調すれば、人はその場を自然に収める言葉を発してくれます。

ファシリテーターが、議論のまとめ役を1人で担う必要はありません。

参加者たちに残り時間を意識させ、まとめのコメントを求めることで、参加者同士で着地点を見出そうという方向に議論は向かいます。

そして、こうして導き出された結論なら、参加者たちもきっと納得できるはずです。

［特別付録］

いますぐ使える！ キラーフレーズ辞典

ここからは、本章以外のページでご紹介したフレーズや、進行に役立つフレーズを、あらためてピックアップした番外編です。

また、ファシリテートしていくうえで、とても大切なあいづち集も併せてご紹介します。

□ 自分がリラックスして会議に入るためのひと言

（最初のひと言目に）

● 「さあ、それでは始めましょうか」

□ 参加者全員の見せ場を作るひと言

（会議の冒頭で）

● 「今日はお１人ずつ、きちんとご意見をうかがう時間を取りたいと思います」

□ 議論のきっかけを作るひと言

● 「最近、社内の若い世代からこういう意見をよく耳にしますので、ぜひそれを踏まえてみなさんのご意見をうかがいたいと思います」

● 「インターネットで見かけたこんな意見が今日の議論の参考になるかもしれません」

● 「いま、こんなツイートが注目されています」

● 「先日、評論家の○○さんがこう発言していたのですが……」

□ 相手の意見や思いを整理しながら引き出していくひと言

- 「そうですか〜、その後どうなったんですか？」
- 「そんなことがあったんですね〜。そのときどう思ったんですか？」
- 「なるほど〜、どうしてそう思ったんですか？」
- 「たとえばどのようなことですか？」
- 「それはどういう意味ですか？」
- 「具体的に言うと？」
- 「ほかにはどんなことが挙げられますか？」

□ 相手の発言を後押しするひと言

- 「おっしゃる通りですよね」
- 「たいへん重要なご指摘ですね」
- 「それは初めて聞きました」

□ 相手の意見を受け止めたうえで、議論を深めていくひと言

- 「そうですよね。そのお気持ちもわかります。一方でこういう意見もありそうですが……」
- 「たしかにおっしゃる通りですね。では、こういう反論があった場合はどうお考えでしょうか」

□ 話がループしたり脱線し始めたときに止めるひと言

- 「一方で○○についてはどうお考えですか」

□ 他人の意見に口を挟もうとする人を止めるひと言

- 「○○さん、わかりました。のちほどご意見をうかがいますので、しばらくお待ちください」

□ 同時に話したそうな人が複数いるときのひと言

● 「Aさん、ちょっと待ってください。のちほどご意見をうかがいます。先にBさん、どうぞ」

□ 一部のメンバーがヒートアップしているときにクールダウンを図るひと言

● 「これは重要なテーマですから、ほかのみなさんのご意見も聞いてみましょうか」

● 「そろそろ○○さんや△△さんのご意見もうかがってみたいですね」

● 「さあ、どうでしょうか。○○さんは、この件についてどう思っていますか」

● 「わかりました○○さん。この話、いったんこちらで引き取らせていただきます」

□ 対立する両者のあいだに入ってほぐしていくひと言

● 「なるほど。一方でこういう意見をお持ちの方もいらっしゃるようですが、これについてはどう考えますか?」

● 「○○さんのご意見、たいへん参考になります。しかしその場合、こういう問題も起こりそうですが、その点についてはいかがでしょうか?」

□ 相手が言い足りなさそうなときのひと言

● 「○○さん、お待たせいたしました。ここまででおっしゃりたいことがあれば、お聞かせください」

□相手がまた出席したいと思う、締めくくりのひと言

- 「貴重なご意見ありがとうございました」
- 「たいへん勉強になりました」
- 「新たな気づきがたくさんありました」

□相手の話を引き出すあいづち集

- はい　●はぁい　●はあ～い
- そうですね～　●そうですよね～
- そうなんですね～　●そうですか～
- ええ　●なんと　●ほお～
- なるほど～　●わかります～

□参加者の気分を乗せ、議論を活性化させるひと言

- すごいですね～
- いいですね～
- すばらしいですね～
- それはたいへんでしたね～
- お見事ですね～
- さすがですね～
- 素敵ですね～
- そんなことがあったんですね～
- それは初めて知りました

おわりに

アベプラの放送に日々追われるなか、最近とてもうれしいことがあります。

「平石さん、○○さんを呼んで、ぜひ議論してください」

「○○のテーマを取り上げてください」

「○○で、こういう問題が起きています。ぜひ当事者と議論してください」

こういった内容のダイレクトメッセージが、私のツイッターアカウントに頻繁に届くようになりました（ちなみに、私のアカウントは@naohiraishiです）。

アベプラでは、政治、経済、文化、エンタメ、テクノロジーをはじめ、ジェンダーやSDGs、また地上波ではあまり扱われないマイノリティーの抱える問題やメディア論など、ありとあらゆるテーマで毎日、当事者から話を聞き、議論を交わしています。

そうした白熱した議論が、ABEMAビデオやABEMA TIMES、ユーチューブにどんどん蓄積されていくなかで、「アベプラならやってくれる！」という期待感が、視聴者のみなさまに浸透してきていることを肌で感じています。

2年半前にアベプラを担当するにあたり、私自身が番組の〝顔〟になり、視聴者とつながる〝窓〟の役割も担えるようにと、ツイッターを本格稼働させました。いまでは視聴者の声が、放送中だけではなく日常的に届くようになり、叱咤《しった》激励されながら、一緒になって番組を作っている実感が深まってきています。アベプラの視聴者のみなさまに心より感謝しております。

これからも問題点をあぶり出すだけではなく、解決への糸口を見出していく提案型の番組であり続け、また、「社会をよくしていきたい思いは誰でも同じ」という考え方に立ち、いまできることを共有していく〝ポジティブジャーナリズム〟を意識して、番組作りに励んでいきます。

ちなみに、視聴者のみなさまからいただいたメッセージはできる限りすぐに返信して、番組スタッフと共有しています。これからもどしどしお寄せください！

振り返りますと、テレビ朝日にアナウンサーとして入社して以来、いつかは本を書けるくらいに活躍していきたいという思いを抱いてきましたが、このたび、普段からアベプラを見てくださっているアスコムの大住兼正《おおすみかずまさ》さんから「〝ファシリテーション〟をテーマに、ぜひとも本にしませんか」と、お声をかけていただきました。企画書には「日本一のファシリテーターが明かすファシリ術のすべてがこの1冊に！」とおどろおどろしい言葉が並んでいて、さすがに日本一ではまったくなく、恥ずかしさすら感じましたが、毎日2時間の討論番組で私が四苦八苦しながら体得していることは、人様にお伝えするに値するかもと感じ、筆をとることにしました。

また、そもそもは、ビジネスパーソン向けに情報発信するメディア『新R25』が、番組での私の司会ぶりに着目して、「ファシリ力《りょく》」と題して、記事と動画にまとめてくださったことも、今回の出版につながったきっかけの1つです。その動画のコメント欄に、「本にしてほしい！」という声もあり、私の背中を押してくれました。『新R25』の編集部のみなさま、本当にありがとうございます！

さて、そのファシリテーションについて、今回、執筆にあたり、スキルやノウハウに細かく分解していくと、アナウンサーとして積み重ねてきたさまざまな経験に支えられていることに気づかされます。

「どうして出演者のコメントを、すぐにコンパクトに要約できるんですか」とよく聞かれますが、これは国内外の取材現場で培った、聞いた話を素早くまとめてコメントする「リポート力」にほかなりません。

「よく長時間、会話がずっと途切れませんね」ともよく言われますが、これはたとえ収録であっても、生放送に耐えうるクオリティーを目指して、毎回、政治家や専門家の方々に、二の矢、三の矢を繰り出しながらお話をうかがってきた「インタビュー力」。

暗く沈みがちなテーマでも、朗らかな声で場を盛り上げて前向きなムードを演出する「アナウンスメント力」。

初出演で緊張しているゲストや、口が重いゲストには、少し雑談を交えながら気分を乗せて、話しやすいように手を差し伸べたりもしますが、これは街頭インタビューなどで身につけたノウハウだったりもします。

議論の途中にニュースが飛び込んでくれば、原稿読みと自分のしゃべりを的確に使い分けながら議論を進行させていき、現場からの生中継映像が入ってくれば、「情景描写力」を駆使します。また、アーティストがスタジオに来てくだされば、話を聞いたあと、生歌を披露という展開もあり、ここではアナウンサーが、仕事とは別にお願いされることの多い結婚式の司会（私もこれまでに30回以上やりました・笑）のノウハウが活きてきたりもします。

そうした意味では、いま私が担当しているアベプラでのファシリテーションは、これまで24年間のアナウンサー生活のひとつの集大成とも言えるもので、このような新たなスタイルの言論空間が存在するABEMAに心から感謝しています。毎日の放送が、私にとって出会いと学びの場になっています。

そして何より、それらのスキルやノウハウを「ファシリテーション力」として開眼させてくれたのは、番組に出演するアベプラファミリーのみなさまのおかげです！

カンニング竹山《たけやま》さん、小籔千豊《こやぶかずとよ》さん、田村淳《たむらあつし》さん、EXIT《イグジット》の兼近大樹《かねちかだいき》さん・りんたろー。さん、ひろゆきさん、穂川果音《ほかわかのん》さん、堀潤《ほりじゅん》さん、佐々木俊尚《ささきとしなお》さん、夏野剛《なつのたけし》さん、柴田阿弥《しばたあや》さん、乙武洋匡《おとたけひろただ》さん、ケンドーコバヤシさん、若新雄純《わかしんゆうじゅん》さん、宇佐美典《うさみのり》也《や》さん、安部敏樹《あべとしき》さん、紗倉《さくら》まなさん、田端信太郎《たばたしんたろう》さん、パックンさん、ハヤカワ五《ご》味《み》さん、池澤《いけざわ》あやかさん、和田彩花《わだあやか》さん、中川淳一郎《なかがわじゅんいちろう》さん、山田俊浩《やまだとしひろ》さん、あおちゃんぺさん、榎本温子《えのもとあつこ》さんをはじめ、アベプラファミリーのみなさま、いつも本当にありがとうございます！

テクニック論ばかりの列挙になりましたが、毎日アベプラを担当しているなかで、出演者たちの議論に影響を受け、番組中に自分の価値観がひっくり返るような経験を何度もしてきました。いちばん大きく変わったのは、私自身だと感じます。読者のみなさまにも、ぜひアベプラの議論そのものもお楽しみいただきたいです。

こうしてアベプラの議論が濃密なものになっているのは、ひとえに番組スタッフたちの尽力によるものです。夕方の打ち合わせでは、放送以上の激論になることもしばしばあり、私も本番を前にヘトヘトになることもありますが、制作陣の熱が番組の議論を白熱させていることも、ここでご紹介しておきます。アベプラスタッフのみなさんに、いつも感謝しています。

なかでも、郭晃彰《かくてるあき》プロデューサーには、日々の番組ではもちろんのこと、この本の出版にあたり多方面に奔走していただき、内容面でも有益な助言をいただきました。特別の感謝をお伝えいたします。これからもアベプラで挑戦していきましょう！

社内でご協力いただいたということでは、ビジネスプロデュース局の今井明子《いまいあきこ》さんの存在なくしては、今回の出版に至りませんでした。これまで多くの出版に関わってきたご経験から、私がアナウンサーとして本を出す道筋を示してくださいました。ありがとうございました。

そして、ここまで私を育ててくれたテレビ朝日と、その先輩・後輩や仲間たちにも感謝感謝です。

本書を作るにあたっては、前述のアスコムの大住さん、山田美恵《やまだみえ》さん、コサエルワークの天野由衣子《あまのゆいこ》さん、ライターの友清哲《ともきよさとし》さんに、全面的にサポートしていただきました。今回、貴重な機会をいただき、本当に感謝しております。打ち合わせのなかでは、この本には盛り込めなかった要素も多々ありましたので、またの機会がありましたら、よろしくお願いいたします（笑）。

ファシリテーション力を駆使することで、コミュニケーションの密度が濃くなり、組織の活性化にもつながることに気づいたいま、この力を番組だけに留めておくのはもったいないと感じています。さまざまな会議を覚醒させ、見違えるようなものにしていけるはずです。そのくらい「ファシリ力」は、組織に欠かせないスキルの1つで、いま世の中のあちこちで求められているのではないでしょうか。その可能性を番組やテレビの枠を超えて、これからも伝え続けていきます。私自身の挑戦もまだまだ続きます。

最後に、夜遅い生放送の担当で迷惑をかけているなか、番組の感想を伝えてくれたり、いつも支えてくれている家族のみんなに心からの感謝を伝えます。いまの自分があるのは、家族のおかげです。

そして、この本を手に取ってくださった一人ひとりのみなさまとのご縁に、心より感謝しております。本当にありがとうございました。

平石直之

平石直之
Naoyuki Hiraishi

テレビ朝日アナウンサー。

「グッド！モーニング」「ABEMA Prime」を担当。

1974年、大阪府松原市生まれ。佐賀県鹿島市育ち。早稲田大学政治経済学部を卒業後、テレビ朝日に入社。報道・情報番組を中心に、「地球まるごとTV」「やじうまテレビ！」などでMCを務め、「ニュースステーション」「スーパーJチャンネル」「サンデー・フロントライン」「報道ステーション」などでは、キャスターおよびフィールドリポーターとして全国各地を飛び回る。訪れた地は全47都道府県。2004年6月から1年間、ニューヨーク支局に勤務し、イチロー選手（当時）が年間最多安打記録を打ち立てた歴史的な試合や、アメリカ大統領選を取材。帰国後に「数字が読めるアナウンサー」を目指し、独学で8カ月かけて簿記3級と2級を取得。

2019年から新しい未来のテレビABEMAの報道番組「ABEMA Prime」の進行を担当。“論破王”と呼ばれるひろゆき氏との軽快なかけあいや、ジャーナリスト・佐々木俊尚氏との熱い議論など、アナウンサーという枠を超え、ファシリテーターとしての役割を存分に発揮。個性が強い出演者たちを巧みにまとめ上げる、“アベプラの猛獣使い”として番組を大いに盛り立てている。

特技はテニス。学生時代はテニススクールのインストラクターのアルバイトで、コミュニケーションスキルを磨いた。

自他ともに認めるスイーツ男子で、愛猫家の一面も。

また、大学の卒業旅行で中国のゆかりの地をめぐった“三国志マニア”で、本、映画、連続ドラマ、ゲームなど、あらゆる形でこよなく愛する。

Xアカウント @naohiraishi

超ファシリテーション力

発行日　2021年 11月 12日　第1刷
発行日　2024年 12月 16日　第7刷

著者　平石直之

本書プロジェクトチーム
編集統括　柿内尚文
編集担当　大住兼正
編集協力　天野由衣子（コサエルワーク）、友清哲
デザイン　小口翔平+須貝美咲+阿部早紀子（tobufune）
撮影　三橋優美子
ヘアメイク　松尾愛
スタイリスト　折原美奈子（Mi-knot inc.）
イラスト　YAGI
校正　東京出版サービスセンター
DTP　藤田ひかる（ユニオンワークス）
Special Thanks　郭晃彰、今井明子（テレビ朝日）、田代貴久、佐瀬絢香（キャスティングドクター）

営業統括　丸山敏生
営業推進　増尾友裕、綱脇愛、桐山敦子、相澤いづみ、寺内未来子
販売促進　池田孝一郎、石井耕平、熊切絵理、菊山清佳、山口瑞穂、吉村寿美子、矢橋寛子、遠藤真知子、森田真紀、氏家和佳子
プロモーション　山田美恵

編集　小林英史、栗田亘、村上芳子、菊地貴広、山田吉之、大西志帆、福田麻衣、小澤由利子
メディア開発　池田剛、中山景、中村悟志、長野太介、入江翔子、志摩晃司
管理部　早坂裕子、生越こずえ、本間美咲
発行人　坂下毅

発行所　株式会社アスコム

〒105-0003
東京都港区西新橋2-23-1　3東洋海事ビル
TEL：03-5425-6625

印刷・製本　中央精版印刷株式会社

Printed in Japan ISBN 978-4-7762-1173-0